AS 25 LEIS BÍBLICAS DO SUCESSO

"Este livro se mostra precioso como norma de existir, renovando cânones esquecidos e reparando erros e enganos. Sua leitura nos prepara par[illegible]a prosperidade antes não conhecida. E, ao segui-lo, serem[illegible]pazes de ser os nossos sonhos. E – por que não? – os so[illegible]e Deus."

Carlos Nejar, membro da ABL
e autor de *História da literatura brasileira*

"Considero os ensinamentos da Bíblia tão válidos nos dias de hoje quanto nos tempos antigos. Os autores souberam aproveitar essa sabedoria milenar para transmitir princípios e valores fundamentais. Costumo citar passagens do Novo Testamento em meu dia a dia empresarial. Meu versículo favorito é Mateus 7:7: 'Pedi e recebereis, buscai e achareis, batei e abrir-se-vos-á.'"

Carlos Wizard Martins,
presidente da rede de ensino de idiomas Wizard,
autor de *Desperte o milionário que há em você*

"Um ponto central em qualquer atividade é a busca do conhecimento, o trabalho incessante pelo domínio de informações pertinentes ao projeto que está sendo desenvolvido. Por isso, uma leitura que aponte o investimento em conhecimento como algo fundamental é muito bem-vinda. Assim como é gratificante ver a Bíblia como um espetacular manual de sucesso."

Graça Foster, presidente da Petrobras

"Entusiasmante abordagem de princípios capazes de levar ao sucesso pessoal e profissional."

PROF. GRETZ, consultor empresarial

"Como não leio a Bíblia com frequência, fiquei surpreso ao descobrir neste livro que conceitos escritos há milênios funcionam como receitas para transformar sonhos em realidade."

HANS DONNER, designer

"A fonte eterna em que consiste a Bíblia inspirou os autores a escrever um livro que deveria ser de cabeceira, de mesa de trabalho. Ele fornece os instrumentos para o desenvolvimento pessoal sustentável, o que propicia a verdadeira riqueza."

JOÃO RICARDO MODERNO,
presidente da Academia Brasileira de Filosofia

"Leitura obrigatória. Dicas excelentes para quem deseja mudar de vida."

PROF. MENEGATTI, consultor empresarial

"À luz das revelações existentes no Livro dos Livros, os autores direcionam o leitor a atuar com foco, visão empreendedora, coragem, sabedoria, correção, simplicidade, respeito ao outro, cuidado com as diferenças e planejamento do tempo. São orientações – válidas para a vida toda – para quem deseja encontrar a felicidade no trabalho e se autorrealizar."

SÉRGIO MACHADO, presidente da Transpetro

"O livro conseguiu encontrar um novo sentido na Bíblia: o empreendedorismo. Além disso, alia clareza a um conteúdo riquíssimo."

SIDNEY OLIVEIRA, presidente da Ultrafarma

"Agir com sabedoria assegura o sucesso."
Eclesiastes 10:10b

"(...) para que prudentemente te conduzas por onde quer que andares (...) Não se aparte da tua boca o livro desta lei; antes medita nele dia e noite, para que tenhas cuidado de fazer conforme a tudo quanto nele está escrito; porque então farás prosperar o teu caminho, e serás bem-sucedido."
Josué 1:7-8

William Douglas
&
Rubens Teixeira

As 25 leis bíblicas do sucesso

Sextante

edição: Virginie Leite
revisão: Hermínia Totti e Rebeca Bolite
projeto gráfico e diagramação: Ana Paula Daudt Brandão
capa: Raul Fernandes
impressão e acabamento: Lis Gráfica e Editora Ltda.

CIP-BRASIL. CATALOGAÇÃO-NA-FONTE
SINDICATO NACIONAL DOS EDITORES DE LIVROS, RJ

D768v Douglas, William
As 25 leis bíblicas do sucesso / William Douglas e Rubens Teixeira; Rio de Janeiro: Sextante, 2012.
192 p.; 14x21 cm

ISBN 978-85-7542-869-6

1. Profissões - Desenvolvimento. 2. Motivação (Psicologia) - Doutrina bíblica. 3. Sucesso. I. Teixeira, Rubens. II. Título: As vinte e cinco leis bíblicas do sucesso.

12-7389 CDD: 650.12
CDU: 331.548

Todos os direitos reservados, no Brasil, por
GMT Editores Ltda.
Rua Voluntários da Pátria, 45 – Gr. 1.404 – Botafogo
22270-000 – Rio de Janeiro – RJ
Tel.: (21) 2538-4100 – Fax: (21) 2286-9244
E-mail: atendimento@esextante.com.br
www.sextante.com.br

Para Izequias.
William Douglas

Para Paulo e Darcy, Marta e Renan.
Rubens Teixeira

Sumário

Prefácio 9
Introdução 11

Parte I: *Os sete pecados capitais na busca do sucesso* 17
O pecado da pressa 21
O pecado da avareza 27
O pecado da falta de prazer no trabalho 29
O pecado da ira contra a riqueza 33
O pecado da inveja e da cobiça 39
O pecado da preguiça 42
O pecado do orgulho 46

Parte II: *As Leis do Sucesso* 49
AS LEIS DA SABEDORIA 51
1. A Lei da Oportunidade 51
2. A Lei da Sabedoria 56
3. A Lei da Visão 65
4. A Lei do Foco 68
5. A Lei do Planejamento 72

AS LEIS DO TRABALHO 79
6. A Lei do Trabalho 79
7. A Lei da Coragem 87
8. A Lei da Resiliência 91
9. A Lei da Alegria 96
10. A Lei da Recarga 99

AS LEIS DA INTEGRIDADE 104
11. A Lei da Autocontratação 104
12. A Lei da Honestidade 107
13. A Lei do Nome 114
14. A Lei do Farelo 118
15. A Lei do Autocontrole 121

AS LEIS DO RELACIONAMENTO 126
16. A Lei do Amor 126
17. A Lei do Acordo 132
18. A Lei da Utilidade 139
19. A Lei do Aconselhamento 146
20. A Lei da Liderança 151

AS LEIS DA EVOLUÇÃO PESSOAL 156
21. A Lei da Gratidão 156
22. A Lei da Generosidade 158
23. A Lei do Contentamento 163
24. A Lei da Empregabilidade 168
25. A Lei da Semeadura 174

Conclusão 177

Notas 181

Bibliografia 184

Prefácio

Por Eike Batista

Sucesso profissional. Muitos buscam a fórmula para conquistar esse objetivo. A verdade é que não existe uma receita pronta. Sucesso profissional é uma meta que pode ser alcançada de diferentes maneiras. Uma parte dos resultados é consequência direta das convicções e dos valores que cada um traz dentro de si. No meu caso, por exemplo, a disciplina e a força de vontade herdadas de minha mãe, Jutta Fuhrken, foram essenciais na minha formação. Aprendi, ainda, a pensar grande com meu pai, Eliezer Batista. Também acredito que crescemos com as dificuldades e o estresse por que passamos na vida. Eles ensinam!

Inteligência, criatividade, coragem, determinação, autocontrole. A lista de características que podem ajudar um profissional a ser bem-sucedido é grande. São qualidades que auxiliam na busca pelo sucesso profissional. É preciso, contudo, levar em consideração um horizonte muito mais amplo.

Minha experiência de 30 anos como empreendedor me ensinou que devemos estar atentos a todos os aspectos de um negócio. Foi assim que desenvolvi a Visão 360 graus, um modelo de empreendimento que prevê a aplicação simultânea e harmônica de nove engenharias.

Fico contente em ver compartilhadas algumas das minhas experiências com os leitores de William Douglas e Rubens Teixeira. A Visão 360 graus é apenas um dos conceitos citados neste livro que podem ser aplicados nos negócios, no trabalho e até na vida pessoal. Os autores propõem uma análise dos princípios que podem influenciar positivamente, coerentes com suas crenças religiosas.

Também abrem espaço para variado conjunto de ideias, desde citações de provérbios bíblicos a lições de estratégia de Sun Tzu, autor de *A arte da guerra*. Ao longo destas páginas, você pode descobrir que já está familiarizado com alguns desses conceitos e encontrar suporte para objetivos comuns, quais sejam o bem-estar pessoal, espiritual e o sucesso.

Desse conjunto, é possível extrair princípios valiosos, cuja eficácia tem sido testada ao longo dos séculos. E vale pensar nisso tudo, em especial num momento em que o Brasil vive um período favorável único, com previsões de crescimento sustentável por muitas décadas. Essa expansão trará benefícios para todos. Este livro é uma alternativa e um exemplo para ajudar mais e mais pessoas a evoluir e a crescer.

INTRODUÇÃO

Sucesso profissional. E a Bíblia com isso?

Talvez você não saiba, mas a Bíblia é o melhor manual sobre o sucesso já escrito até hoje. Sua sabedoria milenar continua extremamente atual, indicando os caminhos para que qualquer pessoa, religiosa ou não, possa se sair bem no mercado de trabalho e na gestão de empresas. O objetivo deste livro é revelar a você este conhecimento.

A eficácia dessas lições já foi comprovada por muitos profissionais respeitados que declararam ter construído uma carreira vitoriosa com base nas leis, nos princípios e nos valores da Bíblia. Não importa se você é empresário, gerente ou trabalhador, os ensinamentos bíblicos são como chaves: funcionam para todos. Se você utilizar a chave certa, poderá abrir as portas da excelência, da credibilidade e do sucesso.

Se estiver se perguntando por que quase não se fala dessas lições profissionais tão valiosas, a resposta é simples: em geral, a Bíblia é vista *apenas* como livro religioso, por isso a maioria das pessoas faz uso limitado dela, seguindo somente suas orientações espirituais. E aqueles que não se interessam por religião acabam nem sequer atentando para importantes ensinamentos que poderiam mudar o rumo de suas carreiras. Esses equívocos custam caro, pois a sabedoria bíblica pode ajudar a resolver muitos dos desafios do mercado de trabalho de hoje.

Um dos homens mais ricos do mundo, o empresário Eike Batista – que assina o prefácio deste livro – ensina que "sucesso profissional é uma meta que pode ser alcançada de diferentes maneiras. Uma parte dos resultados é consequência direta das convicções e dos valores que cada um traz dentro de si". Ele menciona vários deles: disciplina, força de vontade, capacidade de crescer com as dificuldades, inteligência, criatividade, coragem, determinação e autocontrole.

Todos esses valores, expressos na Bíblia, serão apresentados aqui. Obviamente, as escrituras não são o único lugar onde se encontram princípios úteis para a vida, mas, quando o assunto é trabalho e carreira, é o livro que, com certeza, reúne a maior quantidade de conselhos de qualidade.

AS LEIS DO SUCESSO

O mundo é regido por leis. Sempre que uma lei é obedecida ou violada, existem consequências. Quando alguém comete um crime, recebe uma pena. Quem paga uma dívida de forma errada terá de pagá-la de novo ("quem paga mal paga duas vezes", é o ditado popular). Por sua vez, quem cumpre as leis, como o empregador que respeita a CLT, tem menos problemas e despesas, sendo recompensado por sua opção de agir dentro da legalidade.

Todos entendem a força das leis humanas, como as leis civis, penais e trabalhistas. E compreendem também as leis da natureza, como as leis físicas, das quais um bom exemplo é a lei da gravidade. O que nem todos percebem é que existe mais um tipo de leis: as espirituais – muitas vezes chamadas de princípios.

Quando se fala nelas, a maioria pensa que se referem apenas a questões religiosas, mas não é bem assim. Leis espirituais são aquelas imateriais, que não pertencem ao conjunto das leis humanas nem das leis físicas. Podem ser consideradas uma outra modalidade das leis da natureza e se dividem em religiosas (que não são o nosso foco) e não religiosas. Quando dizemos, por exemplo, que "quem faz o bem recebe o bem" ou que "a inveja é uma energia ruim", estamos tratando de leis espirituais.

As leis humanas podem vir a ser violadas sem que eventualmente haja consequências. Uma pessoa que cometa homicídio pode até não ser descoberta ou conseguir, por algum dispositivo legal, não ser penalizada criminalmente. Já as leis naturais – que englobam as leis físicas e espirituais – funcionam de modo diferente: elas são inexoráveis e sempre geram consequências. Não há como fugir delas.

Você pode não conhecer a lei da gravidade, ou até não concordar com ela, mas se pular de um prédio não poderá evitar se esborrachar lá embaixo. Quando alguém ignora uma lei física, como a da gravidade, e sofre as consequências disso, não há nenhuma questão moral envolvida. É uma mera relação de causa e efeito. As pessoas sabem que é assim e convivem bem com essa realidade.

O que muitos desconhecem é que as leis da natureza não são apenas essas mais fáceis de se perceber. Assim como as leis da física, da química e da biologia, e tão certo quanto as leis da matemática, as leis espirituais influenciam o seu dia a dia e também guardam uma relação de causa e efeito. Respeitá-las pode trazer grandes benefícios e ignorá-las, com certeza, trará consequências negativas.

Assim como nas leis humanas ninguém é "absolvido" alegando que desconhece a lei, o mesmo acontece quando se trata das leis espirituais. Por isso, para não desperdiçar oportunidades nem perder dinheiro, é fundamental conhecer as 25 leis bíblicas do sucesso.

Algumas são tão importantes que se tornam praticamente obrigatórias para quem deseja ser bem-sucedido na carreira. Não cumpri-las quase sempre resulta em perdas e fracassos. Outras leis servem para expandir ou manter o sucesso, e outras funcionam como degraus de evolução.

Leis como a da Sabedoria, do Trabalho e da Semeadura não podem ser deixadas em segundo plano. Ou você as segue ou não irá longe. Outras servirão para trazer mais equilíbrio pessoal e felicidade. Nesse grupo temos, por exemplo, as leis de "serviço ao próximo". Alguém pode ter sucesso profissional e financeiro e não querer se transformar em filantropo. Andrew Carnegie, Warren Buffett, Bill Gates e Eike Batista resolveram usar sua fortuna em empreendimentos que beneficiam grande número de pessoas, mas isso não é obrigatório, é uma decisão pessoal.

Seguir as leis mais importantes ou todas, e colher os resultados de umas e/ou de outras, é, como tudo na vida, uma decisão pessoal. A escolha é sua.

Mas, se é correto dizer que, sem o esforço da busca, é impossível a alegria da conquista, também é certo que esse esforço será tanto mais compensador quanto melhor você aplicar as leis bíblicas do sucesso.

QUE TIPO DE SUCESSO VOCÊ DESEJA?

Embora este livro seja focado no sucesso profissional, é bom lembrar que existem outros tipos de sucesso – pessoal, espiritual, social, familiar, financeiro – para que você possa refletir sobre o que é mais importante para a sua vida e, se possível, buscar o equilíbrio.

A carreira e o salário ajudam muito, mas não resolvem sozinhos o desafio de ser feliz e realizado. Há momentos em que cada um de nós se pergunta: estou satisfeito comigo? Gosto do que faço? Gosto da minha vida? Isso não tem nada a ver com dinheiro, com ter um bom cargo ou ser dono do próprio negócio. Também não está relacionado aos bens que possuímos. Morar numa linda casa e possuir um carrão é bom e agradável, mas muitos têm tudo isso e não estão satisfeitos.

É um risco se interessar apenas pelo sucesso profissional e financeiro e se esquecer do sucesso pessoal e familiar, da boa fama, da credibilidade e do respeito pela sociedade. Mais uma vez, a escolha é individual. Contudo boa fama, credibilidade e respeito pela sociedade são fatores que contribuem para o êxito na carreira e nas finanças. E saúde e família são indispensáveis para se viver melhor.

Há ainda uma dimensão além do sucesso "terreno" ou "material". Este grau de evolução pessoal é caracterizado por um estado de paz, tranquilidade, gratificação e/ou felicidade. Como diz o psiquiatra e empresário Roberto Shinyashiki em um de seus best-sellers, *O sucesso é ser feliz*.

Por outro lado, não existimos para ficar frustrados no trabalho, limitados em nossos dons, endividados, sem dinheiro e sem perspectivas. Não é isso que queremos para nós nem para os outros. Por isso, vamos aprender aqui princípios que podem nos ajudar a buscar o equilíbrio no trabalho e nas finanças, sem perder de vista que a felicidade se encontra na harmonia de todas essas dimensões.

"Nunca tive a ambição de fazer fortuna. Fazer só dinheiro jamais foi meu objetivo. Minha ambição foi sempre construir."
John D. Rockfeller

Parte I

Os sete pecados capitais na busca do sucesso

Antes de iniciar uma construção, é preciso limpar o terreno. Nosso trabalho aqui será desconstruir alguns mitos e tirar da mente certos muros e armadilhas psicológicas que atravancam o sucesso.

É bom ressaltar que erros frequentes de interpretação da Bíblia, somados a fatores históricos e culturais, amarram as pessoas, levando-as à estagnação e ao fracasso. E amarram igualmente o país. A cultura afeta a todos, e a nossa, especialmente, carrega inúmeros equívocos em relação ao sucesso e ao dinheiro.

No Brasil existe uma certa aversão pelo desejo de crescimento pessoal, profissional e financeiro. É quase o oposto do que ocorre nos Estados Unidos, onde um dos fatores do desenvolvimento foi a mentalidade protestante de que, com o trabalho e a bênção de Deus, é possível melhorar de vida.

A questão é simples: nosso país não tem uma cultura dedicada ao trabalho. Muitas pessoas têm quase raiva de quem progride, entendem que riqueza é sinônimo de algo errado e acreditam que, para vencer na vida, valem mais a sorte, a fraude ou o casamento do que o estudo e o esforço.

Assim, a relação com o sucesso e a riqueza se torna doentia, traduzindo-se em repulsa, culpa ou ambição exagerada, em vez do ideal, que seria a busca por harmonia e equilíbrio.

Se você é religioso, precisa ficar atento a certos posicionamentos errados dentro das igrejas, tendendo ora para a "teologia da prosperidade", ora para a "teologia da miséria". Conheça alguns deles:

- Acreditar que Deus tem a obrigação de dar bênçãos e riquezas a quem frequenta a igreja e/ou faz ofertas generosas.
- Achar que querer melhorar de vida é pecado ou sinal de materialismo.
- Considerar riqueza e dinheiro como algo sujo.
- Não diferenciar a ambição positiva (o desejo de crescer e prosperar) da ambição egoísta, recriminada na Bíblia.
- Esperar que Deus providencie tudo, sem que a pessoa precise fazer nada para alcançar o sucesso e a prosperidade.

Quem deseja ter prosperidade deve tomar cuidado para não se deixar levar por conceitos equivocados, sejam eles religiosos ou não. Neste livro, vamos abordar os erros mais comuns que cometemos na busca do sucesso e que resolvemos chamar de os sete pecados capitais por sua correlação com os pecados citados na Bíblia.

Pecados capitais	Pecados capitais na busca do sucesso
Gula	Pressa
Avareza	Avareza
Luxúria	Falta de prazer no trabalho
Ira	Ira contra a riqueza
Inveja	Inveja e cobiça
Preguiça	Preguiça
Soberba	Orgulho

É essencial conhecer a natureza de cada um desses pecados, como eles se manifestam no nosso cotidiano e o que podemos fazer para "não cair em tentação".

O pecado da pressa

"Melhor é o homem paciente do que o guerreiro."
Provérbios 16:32a

O primeiro pecado capital é a gula, o desejo insaciável, além do necessário, de comida, bebida ou drogas. Na busca do sucesso, a gula se manifesta na pressa em consegui-lo e, após alcançá-lo, na incapacidade de se satisfazer.

Quando se trata de construir uma carreira ou um negócio vitoriosos, não adianta ter pressa nem ilusões. Não adianta ser guloso. O sucesso demora, dói e dá trabalho. Por outro lado, você pode ter certeza de uma coisa: dói menos e demora menos do que não ter sucesso, do que desistir, do que não ter sonhos nem planos e ficar à margem da vida.

O mago dos investimentos Warren Buffett, um dos homens mais ricos do mundo, comentou certa vez que "por maior que seja o talento ou o esforço, algumas coisas exigem tempo: não dá para produzir um bebê em um mês engravidando nove mulheres".[1] Ou seja, paciência é uma virtude indispensável para qualquer profissional e até mesmo para os grandes empreendedores.

É preciso ter em mente que, não importa o tempo que demore, quanto mais cedo você começar, mais cedo chegará lá. O processo é doloroso, mas é assim que funciona. Perguntar a opinião das pessoas, dar a elas liberdade e segurança para falar a verdade e ouvir críticas ao seu desempenho profissional exige muita coragem e disposição, e poucos fazem isso com sinceridade. E são exatamente esses poucos que melhoram, porque recebem informações sobre o que devem mudar. Ficar aberto ao feedback do seu chefe ou de seus colegas de trabalho e aprender a examinar quais críticas procedem e quais podem ser ignoradas é difícil, mas é a única forma de crescer.

Para não cometer o pecado da pressa, o mais importante é saber que a melhor opção não é a mais fácil nem a mais rápida. Quando o assunto é sucesso, como diz o fenômeno do basquete Michael Jordan, "não existem atalhos" e quem se empenha pela metade corre o risco de só obter meios resultados. Ou nenhum.

É como se diz: "Se você acha a educação cara, ainda não viu o preço de ser ignorante." Pressa custa caro, razão pela qual nossas mães advertiam que "devagar também é pressa" e os sábios dizem que "a direção certa é mais importante que a velocidade".

A mais clara manifestação da pressa na vida profissional ocorre quando se fala em remuneração. Muitos querem ganhar altos salários desde o primeiro momento e também ser promovidos a presidente da empresa praticamente no dia seguinte à sua contratação como office boy.

Quando se está procurando um estágio ou primeiro emprego, é um equívoco se preocupar mais com a remuneração do que com as perspectivas que o trabalho oferece, principalmente em termos de aprendizado e crescimento profissional. É melhor ganhar menos (ou até nada!) em um lugar em que você poderá aprender muito do que ganhar muito em um lugar onde não irá aprender nada. E isso também vale para executivos.

Não tenha pressa em ser promovido, nem em ganhar dinheiro. A ordem natural é: você trabalha e aí tem sucesso; você se realiza e então ganha dinheiro; você planta e depois colhe. Em nossa experiência, observamos que aqueles que procuram o dinheiro em primeiro lugar e que têm urgência em ficar ricos não costumam ir tão longe quanto os que querem fazer um bom trabalho, que têm um sonho e se dedicam a ele.

Na Bíblia, um dos conceitos fundamentais é o serviço, não o enriquecimento. Repare que as pessoas de maior sucesso no mundo são aquelas que se concentram no trabalho, no sonho, na vocação e na realização de atividades úteis. É o caso do empresário brasileiro Eike Batista, do Grupo EBX, que reúne companhias de mineração, petróleo, energia e logística, entre outras. E também de Luiza Helena Trajano, presidente do Magazine Luiza, que começou a trabalhar como balconista aos 12 anos e galgou todos os degraus na empresa, contribuindo para transformá-la numa das gigantes nacionais do varejo. Ao longo da história, grandes nomes chegaram ao topo com suas ideias revolucionárias e seu trabalho, como Henry Ford, fundador da Ford, e Steve Jobs, o visionário da Apple.

Portanto, não se concentre no dinheiro, e sim na competência, na dedicação e nas demais qualidades que precisa desenvolver para se destacar. O dinheiro será consequência. Aqui você vai aprender as dez características fundamentais para trilhar o caminho do sucesso: ser trabalhador, competente, honesto, simpático, leal/confiável, determinado/persistente, paciente, humilde, com espírito de equipe e capaz de se adaptar às mudanças.

Dizem que dinheiro gera dinheiro, mas acreditamos que dinheiro com trabalho gera dinheiro. Dinheiro sem sabedoria pode até levar ao empobrecimento, se você só gastá-lo. O pensamento de que com dinheiro se gera mais dinheiro é falacioso, pois isso só acontece quando se tem também conhecimento e/ou empenho. O trabalho inteligente é a "máquina" de fazer dinheiro, que tem um sistema de abastecimento *flex* e aceita vários combustíveis: competência, capacidade de inovação, dignidade. A competência pode estar mais relacionada ao esforço – no caso de uma pessoa que faz de tudo para se preparar, seja estudando ou treinando para adquirir uma habilidade – ou ao talento.

O próprio dinheiro também pode ser o combustível dessa máquina, fazendo com que você amplie seus recursos legitimamente e obtenha retorno sobre suas aplicações. Mas vale ressaltar que, mesmo sem muito capital, é possível fazer fortuna usando apenas o trabalho – e quanto mais competente e diferenciado você for, maior a chance de ganhar mais.

Como disse um magnata do petróleo, para ter sucesso precisa-se de três coisas: "1. Acordar cedo; 2. Trabalhar duro; 3. Achar petróleo." Você pode argumentar que nem todos vão encontrar petróleo, mas essa é outra variável que move a máquina de fazer dinheiro: a sorte. Porém, antes de contar com ela, é necessário acordar cedo e trabalhar duro.

O importante é que não haja pressa em ganhar dinheiro, sem antes criar uma base sólida de competência e sucesso profissional. A Bíblia diz que "quem tenta enriquecer-se depressa não ficará sem castigo" (Provérbios 28:20). Não pense que Deus irá lançar um raio sobre essa pessoa ou puni-la por mero capricho. O que acontecerá é que ela estará desobedecendo a uma lei espiritual e ao adotar um comportamento negativo estará sujeita a sofrer suas consequências. É uma relação de causa e efeito.

Quem tem pressa em ter sucesso ou ficar rico acaba fazendo negócios equivocados por querer resultados rápidos demais. A pressa tira a serenidade, atrapalha o raciocínio, faz a pessoa tomar decisões ruins ou até eticamente reprováveis. No mundo profissional, toda pessoa que almeja ter retorno muito rápido acaba enfrentando problemas. Ao falar sobre não ter pressa de enriquecer, a Bíblia trata de uma lei espiritual e dá um aviso valioso. Para subir na vida, montar um negócio, passar em um concurso público ou enriquecer, não se pode ter pressa. Aliás, para tomar qualquer decisão importante, desde fechar um negócio imobiliário até decidir com quem se vai casar, a pressa é inimiga da perfeição e das boas escolhas.

Se você está interessado em ter sucesso e ganhar dinheiro, comece a se preparar hoje, já, agora. Vai ser bem mais fácil conseguir isso se você tiver uma profissão, se for respeitado e bom no que faz.

Muita gente coloca o sucesso no futuro e nunca dá o primeiro passo rumo a ele. Fica pensando: "Quando eu mudar de emprego, vou chegar no horário", "Quando for reconhecido, trabalharei melhor", "Quando eu ganhar bem, farei minhas tarefas com mais capricho".

Se você quer ter sucesso, precisa se diferenciar pela excelência do seu trabalho. Mesmo que ainda não esteja na posição que almeja, mesmo que ainda não tenha o reconhecimento que merece ou o salário com que sonha.

O progresso pessoal por meio do trabalho é precedido por etapas naturais como em qualquer construção: tem de haver planejamento, execução e, em todas essas etapas, um acompanhamento para eventuais melhorias e ajustes. Ninguém vence sem precisar se desviar dos muitos obstáculos que surgem à sua frente na implantação de qualquer projeto. Quanto mais valioso e arrojado for o projeto, mais dificuldades deverão ser superadas, entretanto, maiores serão as perspectivas de resultados ao final. Portanto, esteja preparado para enfrentar dificuldades pelo caminho.

Um erro muito comum é o de desconsiderar a linha do tempo. Se você olhar um sapato que está sendo engraxado, pode até achar que ele é mais feio que o outro que não está sendo engraxado. Há nisso uma ilusão de ótica, uma visão míope do que é e do que poderá vir a ser. Não se pode esquecer que o sapato que está sendo engraxado daqui a pouco vai estar brilhando mais do que o que não recebeu a graxa.

Para muitos, sucesso significa dinheiro, cargos, poder, fama. É uma percepção equivocada, como adverte a Bíblia: "Mais vale um bom nome do que muitas riquezas" (Provérbios 22:1). Sucesso é ter uma reputação, um histórico de bons trabalhos prestados e bons resultados produzidos para si mesmo, para sua família e para a instituição onde você trabalha. Você pode considerar que alcançou o sucesso profissional quando as pessoas começam a identificá-lo como alguém bom para se ter na equipe ou à frente de um negócio, com boas referências, bem-visto no meio corporativo, entre os clientes etc. E isso, caro leitor, não há salário que pague.

Pois, quanto mais respeitado você for como profissional, mais clientes e parceiros passará a ter, o que proporcionará mais oportunidades de ganho financeiro. É uma regra simples de ação positiva para reação positiva. Trata-se de um ciclo virtuoso de constante melhoria de resultados, em que promoções e dinheiro são a consequência natural.

Sobre a necessidade de paciência e de ir crescendo aos poucos, vale ler o que Jesus disse sobre o crescimento do reino de Deus, mas que também pode se aplicar à vida profissional: "um grão de mostarda, (...) quando semeado na terra, embora seja menor que todas as sementes que há na terra, depois de semeado, cresce e se torna a maior de todas as hortaliças, e deita grandes ramos, de tal modo que as aves do céu podem pousar à sua sombra" (Marcos 4:31-32). Faça de sua carreira o grão de mostarda que começa devagar e vai crescendo de forma saudável e sustentável até se tornar uma árvore frondosa. Não tenha pressa.

Antídotos

- Desenvolva a paciência.
- Aproveite o que pode parecer uma "demora" para adquirir mais conhecimento e experiência.
- Lembre-se de que a direção correta é mais importante que a velocidade.

"A paciência é amarga, mas seus frutos são muito doces."

Jean-Jacques Rousseau

O pecado da avareza

"Porque o amor ao dinheiro é a raiz de toda a espécie de males; e nessa cobiça alguns (...) se transpassaram a si mesmos com muitas dores."
1 Timóteo 6:10

Avareza é o apego excessivo ao dinheiro. Mas, na busca do sucesso, esse pecado ganha um contorno mais amplo e se refere a qualquer relação doentia com o dinheiro, seja por dar a ele muito valor, seja por desprezá-lo.

Riqueza e pobreza não são sinônimos, respectivamente, de felicidade e infelicidade. Pior do que ser pobre é ser rico sem estar preparado para isso. A riqueza pode se tornar um grande problema se não for norteada por princípios e encarada com maturidade. É preciso ter um mínimo de equilíbrio emocional para lidar com o sucesso e a riqueza – e de competência para administrar os dois.

Dizem que "dinheiro não traz felicidade" e isto é fato, mas não vivemos só de felicidade. Não pagamos a conta de luz com felicidade, nem o plano de saúde com um sorriso. O dinheiro tem seu lugar em nossa vida e nada melhor do que ele para resolver certos problemas práticos do cotidiano, como contas e despesas.

Porém há quem ache que "dinheiro traz felicidade"; e faz qualquer coisa para acumular fortuna, mesmo que precise recorrer à corrupção, à fraude e à desonestidade. Talvez essas pessoas se deixem levar pelas aparências. O dinheiro impressiona, traz vantagens, arranja casamentos, mobiliza adeptos, aponta soluções e compra facilidades. Tanto é que Nelson Rodrigues ironizava: "Dinheiro compra tudo, até amor verdadeiro." Não é verdade, mas muitos acreditam que é.

Se o dinheiro fosse capaz de, sozinho, garantir todos os benefícios que as pessoas precisam para serem felizes e realizadas, não veríamos tantos ricos em depressão ou insatisfeitos com a vida. O dinheiro compra remédios, mas não saúde; compra uma casa, mas não um lar. Mesmo assim, existem pobres e pessoas da classe média que pensam que serão felizes se ficarem ricos.

Não se deve dar valor de mais ao dinheiro, nem de menos. O que a Bíblia ensina sobre isso? Primeiro, a não amarmos o dinheiro e a não torná-lo prioridade em nossa vida. Podemos tê-lo, até muito, mas sem que o amemos. O dinheiro é um bom escravo, mas um péssimo senhor (Mateus 6:24-27, Lucas 16:14).

Aprenda a ter uma relação saudável com o sucesso e o dinheiro, nem os amando nem os desprezando. Assim eles lhe servirão.

Antídotos

- Desenvolva uma relação saudável com o dinheiro, evitando ser sovina, ganancioso, perdulário ou pródigo.
- Tenha princípios e maturidade para administrar a riqueza com equilíbrio.
- Não encare o dinheiro como a prioridade da sua vida.
- Não tente enriquecer de qualquer maneira, valendo-se de atitudes desonestas.

"Manda aos ricos deste mundo que não sejam altivos, nem ponham a esperança na incerteza das riquezas, mas em Deus, que abundantemente nos dá todas as coisas para delas gozarmos. Que façam o bem, enriqueçam em boas obras, repartam de boa mente e sejam comunicáveis."

1 Timóteo 6:17-18

O pecado da falta de prazer no trabalho

"Regozijai-vos sempre."
1 Tessalonicenses 5:16

A luxúria é o desejo passional e egoísta por todo prazer sensual e material. No caso do sucesso, o pecado relacionado é exatamente o inverso disso: a falta de prazer no trabalho. A pessoa só sente e busca prazer em outras atividades, como o lazer, e não consegue extrair alegria nem ter paixão por seu trabalho. O resultado é trabalho sem amor, sem dedicação e sem capricho.

Há um pensamento que pode ajudar quem deseja evitar este pecado capital: "Não se esforce para ter prazer, aprenda a ter prazer no esforço." Quem age assim sobe na vida. Quem sente prazer ao trabalhar rende mais. Infelizmente, muitas pessoas não gostam mesmo de trabalhar. Algumas cumprem o expediente e realizam suas tarefas só por obrigação, outras conseguem descobrir maneiras de se motivar. Claro que nem sempre fazemos o que nos satisfaz, mas precisamos aprender a gostar para rendermos mais e até para o trabalho fluir melhor.

Todos nós já ouvimos muitas pessoas dizerem que, se ganhassem na loteria, a primeira coisa que fariam seria parar de trabalhar. Mal sabem que alguns anos depois da sorte grande, a maioria dos agraciados fica em situação financeira pior do que a que tinha antes de receber o prêmio. Não adianta embolsar muito dinheiro e não saber geri-lo nem aplicá-lo. Como diz Salomão, "Para que serve o dinheiro na mão do insensato? Para comprar a sabedoria? Ele não tem critério" (Provérbios 17:16).

Há estudos que sustentam que, se toda a riqueza do mundo fosse dividida igualmente por todos, em poucos anos ela estaria de volta às mãos de quem já a possui hoje. A razão? Essas são as pessoas que sabem administrar as riquezas, e as obteriam de volta. Os que nunca aprenderam a lidar com o dinheiro perderiam o "presente" sem muita demora. Ainda nessa linha, um milionário americano, dono de ferrovias, siderúrgicas e fazendas, disse certa vez que não se importaria em perder tudo o que tinha caso conseguisse manter sua saúde e seus funcionários. Segundo ele, com a ajuda de sua equipe, seria possível recuperar tudo, porque quem gera a riqueza e a prosperidade são as pessoas, não as coisas.

Apesar disso, há quem resista de todas as maneiras a dar duro, pegar um livro para estudar ou assistir a uma palestra a fim de aprender algo novo. Progresso pessoal é algo que se alcança com estudo (livros, cursos, palestras), ou como aprendiz de alguém (convivência e observação), ou por meio da experiência (na prática, por tentativa e erro). Não existem outros caminhos.

A ideia de que trabalho é castigo está impregnada na nossa cultura e pode ter se originado de uma análise equivocada da Bíblia. Ou, pelo menos, da falta de conhecimento da integralidade da mensagem bíblica. A leitura do texto de Gênesis 3:17 – sobre como Adão pecou e, a partir de então, teve que trabalhar e ganhar o pão com o suor de seu rosto – pode levar à conclusão errada de que o trabalho foi o castigo pelo pecado e, portanto, é algo ruim. Essa interpretação não leva em conta que, antes da queda, Adão já trabalhava (Gênesis 2:15).

Além disso, em outra passagem bíblica, o trabalho é enaltecido pelo próprio Jesus: "Meu Pai trabalha até agora, e eu trabalho também" (João 5:17). Cristo jamais se referiria a Deus como aquele que executa uma tarefa punitiva ou amaldiçoada. Como destaca o Salmo 128, uma pessoa abençoada vive "do trabalho das suas mãos".

Viva, portanto, do seu trabalho. Procure não depender dos outros, não importa se do governo, do ex-marido ou de um parente. Se ainda não gosta de trabalhar, aprenda a gostar. Este é um dos conceitos mais preciosos da Bíblia e será recorrente ao longo deste livro, pois Deus se vale quase sempre de pessoas que estejam trabalhando ou dispostas a isso. Buscar prazer no trabalho envolve ficarmos felizes por podermos trabalhar e nos sentirmos recompensados durante a realização do nosso ofício.

A Bíblia afirma: "Mal nasce o sol, (...) o homem sai para o seu trabalho. E para a sua ocupação até à tarde" (Salmos 104:22-23). O texto se refere a pessoas que começam cedo e vão até tarde trabalhando, e isso é apresentado como algo bom. O verso seguinte dá a impressão de que é uma forma de riqueza: "Ó Senhor, quão variadas são as tuas obras! Todas as coisas fizeste com sabedoria; cheia está a terra das tuas riquezas." E de fato é assim!

Entender que em todo trabalho há proveito é um dos primeiros passos para se ter prazer e obter bons resultados com ele. Um grande amigo, o empresário Ivo Ribeiro Restier, dono de um curso frequentado por milhares de alunos, começou a vida trabalhando como garçom em um hotel no Rio de Janeiro. Desde o primeiro emprego, sempre considerou cada trabalho um privilégio e uma oportunidade e procurou fazer seu serviço com capricho, da melhor maneira que podia. A cada novo emprego, agia do mesmo jeito, demonstrando prazer na realização de suas tarefas. Isso é semear crescimento e sucesso.

Uma pessoa alegre é agradável de se ter por perto. Não há chefe, subordinado ou colega de trabalho que não goste.

Antídotos

- Pense no valor do seu trabalho para se sentir mais estimulado. Se você lida com clientes, pense no bom serviço que pode lhes prestar e em como isso facilitará a vida deles. Se trabalha na indústria, imagine a satisfação do consumidor com aquilo que você ajuda a produzir.
- Todo trabalho traz algum proveito e aprendizado e, cedo ou tarde, as oportunidades vão surgir.
- Quanto melhor você trabalhar, maiores serão suas chances de crescimento.

"Este é o dia que o Senhor fez; regozijemo-nos, e alegremo-nos nele."
Salmos 118:24.

O pecado da ira contra a riqueza

"Abrão era muito rico em gado, em prata e em ouro."
Gênesis 13:2

Há quem acredite que é errado enriquecer ou melhorar de vida. Algumas pessoas parecem ter raiva de quem procura prosperar, um sentimento que acabam projetando sobre a própria riqueza. Se você acha que ser rico é ruim, terá problemas em se dedicar e melhorar de vida. E, pior, se por alguma razão vier a alcançar sucesso, sentirá culpa. É bem comum as pessoas se sabotarem na busca da prosperidade e do sucesso.

Nossa sociedade, como já dissemos, carrega uma série de preconceitos contra a riqueza, a ponto de ver nos sinais exteriores de enriquecimento um "indício" de desonestidade e corrupção, em vez de algo admirável, fruto do trabalho e do esforço pessoal. Há no inconsciente coletivo do brasileiro ideias erradas que criam ressentimento contra os ricos e complexo de culpa em quem consegue chegar lá.

Os ricos são tachados de egoístas e inescrupulosos que só chegaram ao sucesso cometendo alguma fraude, enganando alguém, casando por interesse ou, então, tirando a sorte grande. A sensação geral é de que sucesso, trabalho ou riqueza afastam a pessoa da família. Culturalmente há muito ressentimento contra quem vence na vida. Como dizia Tom Jobim, "no Brasil, sucesso é ofensa pessoal".

Todos esses conceitos são equivocados. E muito! Claro que existem ricos desonestos e egoístas, mas isso não é exclusividade deles. Famílias desestruturadas existem em todos os lugares e classes sociais, e fraudes também, como comprovam os "gatos" de energia elétrica e televisão a cabo. Curioso perceber que muitos pensam que quando o rico é desonesto, é ladrão, e quando o pobre é desonesto, é "coitadinho", vítima, necessitado.

O preconceito muitas vezes é justificado com a alegação de que o excesso de dinheiro faz com que as pessoas ricas tenham dificuldade de agir de maneira correta. Vale dizer que os dilemas éticos não são privilégio de quem tem fortuna no banco. Por outro lado, o poder econômico faz com que muitos ricos consigam se livrar da lei, contribuindo para a sensação de que os crimes de colarinho-branco ficam sem punição. Para o Brasil evoluir, vamos precisar chamar roubo de roubo, fraude de fraude, seja quem for que os pratique, assim como acabar com as desculpas e a impunidade. As instituições brasileiras estão sendo cobradas pela sociedade – cada vez menos tolerante com a corrupção – para que sejam mais transparentes e eficientes. Isso mostra que essa realidade está mudando.

A questão, porém, é se você tem algum desses preconceitos e barreiras mentais. Se tem, precisa se livrar deles, pois a ira contra os ricos e a riqueza é um dos pecados capitais na busca do sucesso e da prosperidade.

É bem positivo internalizar que há pessoas ricas boas e generosas, que chegaram ao topo por sua competência e dedicação. São pessoas honestas, que usam sua riqueza de forma digna e a compartilham com a família. Adquirir esses modelos mentais de realização e encontrar exemplos admiráveis é parte do processo de motivação e orientação para o sucesso.

QUAL A ORIGEM DE TANTO PRECONCEITO CONTRA A RIQUEZA?

Durante muito tempo parece que imperava a noção: "Ser pobre é bonito; ser rico, uma vergonha, e trabalho é castigo." Além da origem histórica e cultural já citada, há outra, religiosa, decorrente de uma interpretação errada da Bíblia. No capítulo 19 do livro de Mateus, Jesus mencionou que é mais fácil um camelo passar pelo buraco de uma agulha do que um rico entrar no reino dos céus. Essa passagem induz muita gente a pensar que ser rico é perigoso ou complicado. Só que o mesmo Jesus, logo adiante, diz: "Para o homem é impossível, mas para Deus todas as coisas são possíveis." Isso significa que um rico pode, sim, entrar no reino dos céus. Na verdade, Jesus aponta, neste trecho, um aspecto fundamental a ser superado pelos ricos.

Em Marcos 10:17-22, outro trecho que pode dar margem a interpretações erradas, um jovem rico pergunta a Jesus o que deve fazer para conseguir a vida eterna, e Jesus recomenda que ele venda todos os seus bens e distribua o dinheiro entre os pobres. Nesse caso, o problema não era a riqueza em si, mas a forma gananciosa como esse homem se relacionava com sua fortuna. Jesus percebeu que faltava algo para a evolução pessoal do jovem rico e trabalhou nesse sentido. E, como sempre, deixou que o próprio escolhesse se queria ou não seguir o seu conselho.

Se prosperar mediante o trabalho fosse ruim ou feio, não haveria a recomendação bíblica de aproveitar os ganhos de seu trabalho, como vemos em Eclesiastes 5:18: "Assim, descobri que o melhor e o que vale a pena é comer, beber, e desfrutar o resultado de todo o esforço que se faz debaixo do sol durante os poucos dias de vida que Deus dá ao homem, pois essa é a sua recompensa."

A Bíblia, por sinal, tem vários conselhos para quem é rico. Em geral, não se sugere que a pessoa abra mão de sua riqueza, mas que a administre de forma correta e generosa, que seja honesta e humilde e que não ponha sua confiança na incerteza das riquezas (1 Timóteo 6:17-19, Efésios 6:9 e Marcos 10:17-22).

Quem comete o pecado capital da ira contra a riqueza despreza o sucesso, imaginando que ele é nocivo e atribuindo às elites todos os flagelos sociais. Ora, as elites podem ser culpadas de muita coisa, mas não de tudo. E não podemos confundir elite privilegiada com toda e qualquer pessoa que ganha dinheiro e melhora de vida.

Aliás, uma das formas de mudar o país é justamente permitindo mobilidade social e oportunidades de educação, trabalho, empreendedorismo e ascensão social. A miséria não é culpa da riqueza, mas, sobretudo, de uma desigualdade social que está ligada a questões históricas e atuais, que criaram uma grande distância entre as classes mais altas e as mais baixas. Esta conjuntura é resultado de uma série de ações públicas e privadas que feriram e ferem princípios bíblicos. Dizer que somos um país cristão é em parte equivocado, já que a maioria dos governantes, empresas e pessoas não segue as orientações bíblicas nem as dadas por Jesus Cristo.

Nada justifica, porém, que se inveje e persiga os ricos. Esse é o primeiro passo para se continuar pobre, afinal, uma pessoa que tem inveja, ressentimento ou ódio de quem é bem-sucedido não está no caminho do sucesso. Esses sentimentos não são construtivos.

Se você quer progredir, recomendamos que passe a admirar e abençoar as pessoas que vencem na vida, que se esforçam, que estudam e trabalham honestamente. Se segue princípios cristãos, o incômodo com a fortuna alheia é pior ainda, pois não só atrapalha seu sucesso, como também viola deveres religiosos de amar o próximo, não cobiçar e não cultivar o hábito de se queixar.

O outro lado da falta de admiração pelo sucesso é o apego à pobreza. Há quem acredite que é louvável, bom e mais correto ser pobre. Por ter raiva dos ricos, ou de como alguns figurões enriqueceram, a pessoa passa a gostar de ser pobre.

Ser pobre não é vergonha nem problema. Há pessoas pobres mais dignas e felizes que muitos milionários. O problema está em estimular e admirar a pobreza como se fosse uma virtude, atribuindo a ela um conteúdo moral ou filosófico que não tem.

Existem ambientes sociais e intelectuais que parecem prestigiar uma cultura de pobreza. Isso acontece em determinadas igrejas e partidos políticos. Se a pessoa acha a pobreza uma virtude, preferirá ser admirada e cuidará para que essa condição perdure. Uma coisa é respeitar o pobre, outra é achar que se tem necessariamente que viver na pobreza.

Há certas correntes da intelectualidade que defendem que os mais humildes teriam maior pureza, inocência, candura ou bondade. Não é o caso: a bondade e a maldade estão espalhadas por todos os povos, raças, classes sociais e níveis de escolaridade. No plano religioso, verificamos que as pessoas confundem a humildade de caráter – esta, sim, uma virtude – com a humildade que designa uma condição de vida precária.

Em sua autobiografia, Mahatma Gandhi escreve sobre o amigo Raychandbhai, dono de imensa fortuna:

> "As transações comerciais de Raychandbhai chegavam às centenas de milhões de rupias. Ele era um grande conhecedor de pérolas e diamantes. Nenhum problema comercial intrincado lhe parecia insolúvel. Entretanto, essas coisas não eram o centro em torno do qual girava sua vida. O núcleo de sua existência era a paixão de um dia ver Deus face a face. Entre os objetos invariavelmente encontrados em sua mesa de trabalho, estavam livros religiosos e o seu diário. Tão logo terminava com os negócios, abria um deles. Muitos de seus escritos publicados consistem em reproduções desse diário. Uma pessoa que, ao acabar de falar sobre pesadas transações comerciais, começava

a escrever sobre coisas ocultas do espírito não poderia, decididamente, ser um característico homem de negócios, mas um consumado buscador da verdade."[2]

Esta descrição revela que é possível ser, a um só tempo, rico e nobre, bem-sucedido e espiritual.

Antídotos

- Tenha como modelo e fonte de inspiração pessoas ricas e de sucesso que merecem a sua admiração, por serem competentes, honestas, trabalhadoras e generosas.
- Não tenha vergonha de querer melhorar de vida.
- Livre-se da mentalidade de que é mais honrado ser pobre do que rico.
- Visualize todas as coisas boas que você poderá proporcionar a si mesmo e aos outros ao prosperar.

"Se você tem vergonha da sua meta, ela não vai acontecer."
Roberto Shinyashiki

O pecado da inveja e da cobiça

"O invejoso é ávido por riquezas, e não percebe que a pobreza o aguarda."
Provérbios 28:22

Existe uma lei bíblica segundo a qual não se deve cobiçar, mas não existe uma que diga diretamente "Não tenha inveja". Cobiçar é desejar o que é do outro, e é contraindicado nos Dez Mandamentos. Já a inveja é pior – é se incomodar com o que os outros têm. No fundo, tanto num caso quanto no outro a pessoa se apega ao que não é seu, ou porque quer para ela mesma (cobiça) ou porque deseja que o outro não tenha algo (inveja). Ambos os sentimentos são extremamente negativos. Para não incorrer neste pecado, o melhor antídoto é a virtude do desapego.

Um dos maiores obstáculos ao sucesso é ficar competindo com os outros e invejando o que têm, em vez de batalhar pelos próprios sonhos. Quando a Bíblia diz que o invejoso empobrecerá, não é porque ele será castigado por um Deus iracundo, mas simplesmente porque sofrerá os efeitos de desperdiçar sua energia naquilo que não traz resultados.

Quando eu, William, escrevi o livro *Como passar em provas e concursos* – o primeiro sobre o tema lançado no Brasil, em 1998, e que criou uma nova matéria, atualmente estudada nos cursos preparatórios –, disse que a inveja atrapalha muito qualquer pessoa que tenha esse objetivo e recomendei que os estudantes evitassem reclamações, vitimizações e a procura de culpados.

Anos depois, ao ler *Os segredos da mente milionária*, de T. Harv Eker, um trecho que ressalta que a inveja prejudica quem quer ficar milionário chamou minha atenção. O livro aborda vários conceitos equivocados sobre a riqueza e ensina como corrigi-los. Por que também fala da inveja? Porque o invejoso foca sua atenção nas coisas erradas. Gasta sua energia naquilo que não é essencial. Adolfo Martins, jornalista que criou o Grupo Folha Dirigida, costuma dizer que obteve tão bons resultados porque sempre se concentrou em ações e emoções positivas. Isso funciona.

A inveja faz as pessoas ficarem "gastando" o dinheiro e os bens dos outros, em vez de cuidar dos próprios. A ideia dos Dez Mandamentos de contraindicar a cobiça é para que a pessoa vá cuidar da sua vida, o que é muito mais produtivo do que ficar sofrendo pelo que não tem.

Há uma parábola no livro de Mateus sobre o generoso proprietário de uma vinha que resolveu pagar a mesma quantia tanto para os trabalhadores que tinham se empenhado mais quanto para os que tinham se esforçado menos. Quem trabalhou mais reclamou, embora tenha recebido exatamente o valor acertado. A grande questão foi o incômodo por outros terem trabalhado menos e recebido a mesma quantia. Repare no que o proprietário diz no final: "Não me é lícito fazer o que quero do que é meu? Ou é mau o teu olho porque eu sou bom?" (Mateus 20:15)

Em certo aspecto, ficar reclamando da vida porque outra pessoa tem algo é uma forma de incorrer no mesmo erro que aqueles trabalhadores cometeram, ou seja, ficar se importando com as dádivas que outra pessoa recebeu. Cuide do que é seu, não do que é dos outros.

Isso se aplica, inclusive, à preocupação que alguns têm em relação a quanto os colegas de trabalho ou conhecidos ganham. Isso é problema deles. Cada pessoa deve se concentrar em melhorar profissionalmente para ver, na sua vida, as repercussões positivas do seu esforço.

Antídotos

- Concentre suas energias no seu trabalho e em ambições positivas para você.
- Trabalhe por tudo aquilo que deseja, sem se permitir ficar ressentido com o esforço que terá de fazer e muito menos com o que os outros possuem.
- Comemore sinceramente quando alguém melhorar de vida e tome isso como exemplo e fonte de motivação.

"Abençoe aquilo que você quer."
Filosofia dos sábios do Havaí

O pecado da preguiça

"A preguiça faz cair em profundo sono;
e o ocioso padecerá fome."
Provérbios 19:15

Existem pessoas que sonham em ganhar dinheiro do mesmo jeito que o povo de Israel ganhava seu maná no deserto. Esperam que Deus faça chover ofertas de emprego ou riquezas, que mande o sustento diariamente para que possam permanecer em sua zona de conforto, estagnados, sem fazer nada. Traduzindo: são aquelas pessoas que querem receber seu salário no fim do mês sem trabalhar. Para elas, o emprego ideal deve ser de duas às quatro da tarde, duas vezes por semana. Também gostariam de ser presidente de uma grande empresa, mas sem obrigações, deixando o trabalho pesado para a sua equipe.

Infelizmente, no mundo atual, não há como ganhar dinheiro fácil. Nem como vencer sem se preparar e sem trabalhar muito. Tendo mais uma vez a Bíblia como referência, destacamos uma dica: "O que lavra sua terra se fartará de pão, mas o que segue os ociosos é falto de juízo" (Provérbios 12:11). Outra versão do mesmo versículo diz que "Quem trabalha sua terra terá fartura de alimentos, mas quem vai atrás de fantasias não tem juízo".

O preguiçoso não tem vez no mercado de trabalho, e só fica no emprego até que seja descoberto ou que possa ser substituído. O livro de Provérbios, escrito pelo rei Salomão, conhecido por sua grande sabedoria, alerta várias vezes contra este vício, como no trecho a seguir do capítulo 6:

> "Observe a formiga, preguiçoso, reflita nos caminhos dela e seja sábio! Ela não tem nem chefe, nem supervisor, nem governante, e ainda assim armazena as suas provisões no verão e na época da colheita ajunta o seu alimento. Até quando você vai ficar deitado, preguiçoso? Quando se levantará de seu sono? Tirando uma soneca, cochilando um pouco, cruzando um pouco os braços para descansar, a sua pobreza o surpreenderá como um assaltante, e a sua necessidade lhe virá como um homem armado."

A descrição que Salomão faz do preguiçoso não é nada lisonjeira: é um sujeito que arruma qualquer desculpa para não trabalhar, não é sábio, é uma fonte de aborrecimento e frustração para quem trabalha com ele, é orgulhoso e arrogante e vive desejando coisas, mas não as alcança.

Por outro lado, o preguiçoso se acha muito esperto: "Mais sábio é o preguiçoso a seus olhos do que sete homens que sabem responder bem" (Provérbios 26:16). Ele vive fantasiando que irá ganhar na loteria, ou ter uma ideia genial, ou ser "descoberto" por um caçador de talentos. Mas seu fim é anunciado: "Passei pelo campo do preguiçoso, pela vinha do homem sem juízo; havia espinheiros por toda parte, o chão estava coberto de ervas daninhas e o muro de pedra estava em ruínas. Observei aquilo e fiquei pensando, olhei e aprendi esta lição: 'Vou dormir um pouco', você diz. 'Vou cochilar um momento; vou cruzar os braços e descansar mais um pouco', mas a pobreza lhe virá como um assaltante, e a sua miséria como um homem armado" (Provérbios 24:30-34).

Há quem viva fantasiando um futuro de delícias sem fazer nada para chegar lá ou, ainda, quem projete planos muito distantes para fugir das responsabilidades que o cercam no presente. Sonho sem planejamento e sem ação é fantasia, ilusão, escapismo.

Para que o sonho vire realidade não pode haver preguiça. É preciso se organizar, planejar e "arar a terra". Nas fantasias, a pessoa fica apenas imaginando, em geral soluções miraculosas ou que dependem da sorte ou de terceiros, e não faz nada de concreto. Uma pessoa que fantasia muito em geral não termina nenhum projeto porque não gosta de executar. Quando começa a fase da execução, do trabalho duro... ela parte para uma nova fantasia, maior e melhor!

Eis a pergunta que não quer calar: você tem lavrado a sua terra? Se você está na faculdade ou se preparando para um concurso, você tem estudado, se dedicado? Se quer passar no vestibular, tem se capacitado para tal? Se quer melhorar seu desempenho no trabalho, tem se dedicado? Se é um empresário, tem feito algum curso de administração ou de aperfeiçoamento? Já sentou para fazer o planejamento estratégico de sua empresa? Parafraseando os tempos bíblicos, você conhece o "estado das suas ovelhas"? Você tem seu cenário bem mapeado? Conhece suas potencialidades e fragilidades? Sabe como lidar com elas para obter êxito?

No DVD *Homem espiritual & discernimento*, Joyce Meyer fala muito bem sobre a importância de trabalhar e semear:

> "O problema das pessoas é que querem vitória, mas não querem passar pelas coisas; querem ser prósperas, mas não querem semear; não querem ficar no mesmo lugar financeiro, mas querem ficar no mesmo lugar quanto a ajudar os outros.
>
> Toda vez que queremos ir mais alto, é melhor termos consciência de que a carne necessita ir mais baixo. Nós não podemos ter só a parte de que gostamos. Isso é uma revelação. Você não pode ter só a parte de que gosta. Em todas as coisas haverá o que você não dá a mínima, e, acredite ou não, isso é saudável. Porque se só tivéssemos as coisas do jeito que quisés-

semos e todas as coisas fossem do nosso jeito, e não houvesse oposição, e nada para nós vencermos, e nada de que não gostássemos, sabe o que seríamos? Um bando de crianças mimadas. Algumas vezes você vai precisar ir ou estar em algum lugar desconfortável, por um tempo."

Antídotos

- Comece a se disciplinar. Monte um planejamento que defina ações e prazos, e cumpra-o.
- Pense nos frutos que vai colher quando vencer a preguiça e conseguir realizar seus sonhos.
- Não fique esperando as oportunidades caírem do céu, nem fantasiando que vai ganhar na loteria ou ter uma ideia genial, sem que precise fazer qualquer esforço.
- Mãos à obra.

"A diferença entre o sonhador e o realizador é que o segundo faz acontecer. A realização é a concretização. O sonho é apenas matéria-prima. Um sonho deve impelir ao movimento, nunca à estagnação."

Eike Batista

O pecado do orgulho

"Antes da sua queda o coração do homem se envaidece, mas a humildade antecede a honra."
Provérbios 18:12

A soberba é o pecado capital relativo ao orgulho, que se manifesta quando alguém se acha melhor que os outros, não respeitando o próximo e passando por cima de tudo e de todos. Não é raro pessoas que alcançaram o sucesso se tornarem arrogantes e vaidosas, o que é muito ruim. Pior ainda é quando um jovem que mal começou a subir na vida demonstra total falta de humildade.

Vários são os sintomas de ter sido "picado pela mosca azul", entre os quais se achar melhor do que os outros, menosprezar o próximo e começar a gastar dinheiro demais. Um dos sinais de orgulho e vaidade é querer "comprar" status, gastando o que se tem e o que não se tem para adquirir supérfluos, símbolos de luxo e poder. Mesmo que você tenha dinheiro, ficar esbanjando não é um bom negócio.

A Bíblia diz que o orgulho precede a queda e que todo monte será abatido (Provérbios 16:18 e 18:12; Isaías 40:4). Por tudo isso, cuidado para que o sucesso conquistado não se vire contra você e prejudique a manutenção ou continuidade do seu crescimento. A humildade, além de angariar a admiração e a simpatia de todos, é um requisito para continuar evoluindo.

Há um provérbio chinês que diz: "Quando o jogo acaba, o rei e o peão voltam para a mesma caixa." Humildade nunca fez mal a ninguém e ela é relevante na vida profissional. Aprenda a ser humilde, não de forma forçada ou falsa, mas de coração, sabendo que essa orientação é um dos melhores escudos contra a inveja e os erros de julgamento.

No livro *O monge e o executivo*, James Hunter trabalha o conceito de "líder servidor" com base nos ensinamentos de Jesus, como podemos ver nesta passagem de Mateus 20:25-26: "Jesus, pois, chamou-os para junto de si e lhes disse: 'Sabeis que os governadores dos gentios os dominam, e os seus grandes exercem autoridade sobre eles. Não será assim entre vós; antes, qualquer que entre vós quiser tornar-se grande, será esse o que vos sirva; e qualquer que entre vós quiser ser o primeiro, será vosso servo; assim como o Filho do homem não veio para ser servido, mas para servir, e para dar a sua vida em resgate de muitos.'"

Inspirado na Bíblia, James Hunter sustenta que respeito, responsabilidade e cuidado com as pessoas são virtudes indispensáveis a um grande líder. E que para liderar é preciso estar disposto a servir – uma postura diametralmente oposta à do executivo ou empresário arrogante que acredita ser o único responsável pelo sucesso de sua empresa.

Você pode se perguntar: mas como alguém que serve pode subir na vida? Pois são exatamente as pessoas que servem as mais desejadas pelo mercado de trabalho. Se você não serve para nada nem a ninguém, dificilmente construirá uma carreira ou negócio bem-sucedido.

A vida é efêmera, frágil e sempre surpreendente. O acaso e as mudanças de cenário são parte do jogo. Uma hora estamos por cima, outra podemos estar por baixo. Por isso, uma dose de humildade e flexibilidade não faz mal a ninguém. Quem é arrogante e pretensioso tem menos chances de prever essas reviravoltas e de se adaptar às surpresas do mercado e da vida.

Uma postura humilde é um verdadeiro "seguro contra erros pessoais". Seja por meio da análise da história, pela razão ou pela fé, a humildade – fundamental para subir até o topo – é necessária em dobro para se manter lá.

Antídotos

- Pense que você tem muito mais a ganhar sendo humilde do que arrogante.
- Valorize e respeite as pessoas que trabalham com e para você.
- Lembre-se: o orgulho precede a queda.
- Nunca se esqueça de que você pode estar por cima hoje e por baixo amanhã.
- É preciso estar disposto a servir para ser um grande líder.

"Quem em tudo quer parecer maior não é grande."
Padre Antônio Vieira

"O êxito nos negócios quase sempre leva à arrogância, o que na maioria das vezes leva ao fracasso."
Al Ries e Jack Trout

PARTE II

As Leis do Sucesso

AS LEIS DA SABEDORIA

1

A Lei da Oportunidade

"Vosso Pai que está nos céus (...) faz que o seu sol se levante sobre maus e bons, e a chuva desça sobre justos e injustos."
Mateus 5:44-45

A Lei da Oportunidade diz que todas as pessoas terão, ao longo da sua trajetória, oportunidades para melhorar de vida. Isso significa que, apesar de sermos afetados pela nossa origem social e econômica, pelo acesso à educação, pela cultura e formação social e familiar, todos podemos mudar nossa história. Se estamos satisfeitos, claro que não precisamos fazer nada, mas, se não estamos, temos a possibilidade de alterar nossa rota.

Essa lei não promete que as oportunidades serão iguais, mas que todos terão sua cota de oportunidades. Não podemos ser simplistas e dizer que todo mundo terá as mesmas chances. Não basta escolher ser rico ou bem-sucedido e pronto. Essas conquistas dependem de uma série de circunstâncias, algumas atreladas às nossas escolhas, outras à situação do nosso país e do mundo. Contudo, qualquer que seja a situação, sempre haverá algo a ser feito para progredir.

A felicidade, como muitos já disseram, não decorre das circunstâncias, mas de como você reage a elas. Na vida, é preciso lidar tanto com fatores ponderáveis quanto com imponderáveis, e o melhor que se tem a fazer é saber usar as oportunidades que surgem pelo caminho. Ou seja, o que conta, no final, não é a quantidade de chances que você teve, mas aquelas que de fato aproveitou.

Por isso, não adianta reclamar que fulano ou beltrano tem mais sorte do que você. Isso não muda a realidade. Precisamos jogar com as cartas que temos nas mãos, partir de onde estamos para o ponto aonde queremos chegar, pagando o preço de tempo e esforço que qualquer processo de mudança exige.

A Bíblia diz que "Tudo sucede igualmente a todos: o mesmo sucede ao justo e ao perverso; ao bom, ao puro e ao impuro; tanto ao que sacrifica como ao que não sacrifica; ao bom como ao pecador; ao que jura como ao que teme o juramento" (Eclesiastes 9:2).

No jogo da vida, emocionante, misterioso e sempre surpreendente, tudo acontecerá a todos mais cedo ou mais tarde. Nem sempre é o mais forte que vence, nem o mais inteligente que enriquece. Veja o que diz o rei Salomão: "Voltei-me, e vi debaixo do sol que não é dos ligeiros a carreira, nem dos fortes a batalha, nem tampouco dos sábios o pão, nem tampouco dos prudentes as riquezas, nem tampouco dos entendidos o favor, mas que o tempo e a oportunidade ocorrem a todos" (Eclesiastes 9:11).

Não estamos avaliando aqui se isso é justo ou não, só precisamos entender suas implicações práticas: quem vencer a corrida ganhará a medalha; quem vencer a batalha ficará com a riqueza. Assim, o sucesso será de quem souber, quando chegar sua hora e sua chance, aproveitar bem as oportunidades.

Jesus também falou sobre essa lei espiritual: "Todo aquele, pois, que escuta estas minhas palavras e as pratica, assemelhá-lo-ei ao homem prudente, que edificou a sua casa sobre a rocha. E desceu a chuva, e correram rios, e assopraram ventos, e combateram aquela casa, e não caiu, porque estava edificada sobre a rocha. E aquele que ouve estas minhas palavras e não as cumpre, compará-lo-ei ao homem insensato, que edificou a sua casa sobre a areia. E desceu a chuva, e correram rios, e assopraram ventos, e combateram aquela casa, e caiu, e foi grande a sua queda" (Mateus 7:24-27).

Note que a chuva, os rios e os ventos vêm para todos, mas alguns possuem bases e estruturas sólidas, outros não. Alguns suaram a camisa para furar a pedra e fazer fundações mais seguras, outros fizeram a opção mais fácil de construir na areia. Fruto da Lei da Semeadura, que afirma que colhemos o que plantamos (ver pág. 174), uns investiram na solidez e obtiveram a segurança. No entanto, a Lei da Oportunidade funcionou à perfeição, pois todos tiveram a chance de construir e a chuva também veio para todos.

Esses ensinamentos de Salomão e Jesus alertam que as intempéries, as crises, as calamidades, as oportunidades, as mudanças de cenário atingem a todos. Contudo, algumas pessoas têm uma base emocional, intelectual, financeira e de relacionamentos para suportar as tempestades do mercado. E outras não. O sol nasce para todos e a chuva cai em todos. Uns se preparam, outros não. E você, está pronto para lidar com as surpresas da vida?

Você já ouviu alguém dizer que "o sol nasce para todos, a sombra não"? É uma afirmação interessante, pois só se beneficia da sombra quem aprendeu a lidar com o sol, ou seja, quem fez por merecê-la, montou uma barraca ou construiu um telhado. Até mesmo para buscar abrigo debaixo de uma árvore, é necessário se mexer e ir até onde a sombra está.

No começo do século XX, o empresário americano Andrew Carnegie contratou Napoleon Hill para pesquisar os denominadores comuns das pessoas de sucesso. Hill era bem jovem e passou 20 anos debruçado sobre a vida dos homens de maior sucesso da sua época, tendo estudado mais de 16 mil pessoas ricas e poderosas, em busca do que elas tinham em comum. Entre os estudados estavam os 500 milionários mais importantes da época, como Thomas Edison, Alexander Graham Bell, Henry Ford, Elmer Gates, Theodore Roosevelt, George Eastman, Woodrow Wilson e John D. Rockefeller.

O resultado desse fantástico trabalho foi apresentado em 1928, servindo de base para o seu primeiro livro, *A Lei do Triunfo*,[3] lançado no mesmo ano. Antes da publicação, a obra foi submetida à análise de banqueiros, comerciantes e professores universitários, a fim de verificar se era necessário corrigir ou eliminar informações sem base prática, científica ou econômica. Nenhuma modificação foi proposta.

Considerado um tratado sobre formação de líderes, o livro reúne as leis que as pessoas de sucesso seguiam consciente ou inconscientemente. Logo no início de sua obra, Hill conta uma história sobre o jovem pastor Gunsalus que anunciou nos jornais de Chicago que daria o sermão "O que eu faria se tivesse um milhão de dólares!". Curioso, o rei dos frigoríficos, Philip D. Armour, decidiu ouvir o sermão, no qual o pastor traçou o plano de uma grande escola técnica, onde os jovens aprenderiam a vencer na vida, por meio do desenvolvimento da habilidade de pensar, em termos mais práticos do que teóricos. A conclusão da história é muito interessante:

> "Depois do sermão, o Sr. Armour (...) disse-lhe: 'Acredito que seja um jovem capaz de fazer o que diz. Vá ao meu escritório amanhã cedo e eu lhe darei o milhão de dólares de que precisa.'
>
> Há sempre fartura de capital à disposição dos que podem traçar planos práticos para serem levados a efeito. (...)
>
> Pode acontecer que uma pessoa não goste do trabalho que faz. Há dois meios de livrar-se de tal ocupação: um é tomar pouco interesse por ela, procurando apenas produzir o bastante para 'passar'; bem depressa encontrará uma saída, pois os seus serviços deixarão de ser procurados.
>
> O outro meio, e o melhor, é tornar-se uma pessoa tão útil e eficiente nesse trabalho a ponto de atrair a atenção favorável dos que têm o poder de promovê-la para uma função de maior responsabilidade e que seja mais do seu agrado.
>
> Não é preciso procurar muito longe a oportunidade; podemos encontrá-la justamente no lugar onde nos encontramos."

Em suma, as oportunidades existem, o sol nasce para todos, mas nem todos o aproveitam. Os que o fazem têm mais chances de alcançar seus sonhos.

"Dois homens olham pela mesma janela. Um vê a lama. O outro vê as estrelas."
Frederich Langbridge

2

A Lei da Sabedoria

"Feliz é o homem que acha sabedoria e o homem que adquire conhecimento, porque melhor é o lucro que ela dá do que a prata, e melhor a sua renda do que o ouro mais fino. Mais preciosa do que pérolas, e tudo o que pode desejar não é comparável a ela."
Provérbios 3:13-14

A sabedoria é a base para se chegar ao sucesso. É a inteligência (organizacional, estratégica, financeira) para decidir o que se quer e como chegar lá. Com ela podemos escolher as sementes a lançar e estabelecer as causas certas para ter os efeitos desejados.

Não estamos tratando aqui da inteligência como a habilidade de lidar com abstrações ou se sair bem em testes de memória ou de cálculo, e sim como a capacidade de se adaptar em busca da felicidade. Nesse sentido, ela é praticamente sinônimo de sabedoria – que é saber o que fazer, quando, como, onde e por quê. Afinal, existem pessoas de alto QI (Quociente de Inteligência), com raciocínio ou memória prodigiosos, mas que não têm sabedoria para viver. Neste contexto, quando falamos de inteligência, não estamos nos referindo apenas à inteligência emocional, mas a todo o conjunto.

Essa inteligência maior, fruto de uma combinação de fatores, não é inata nem privilégio de gênios. Está disponível para todos e depende das opções que cada um faz. Você pode ser sábio: basta querer e estar disposto a pagar o preço para obter conhecimento e para colocar sua inteligência em prática.

O texto citado no início deste capítulo ensina que o melhor investimento a ser feito não é em ouro, prata ou pedras preciosas, mas em conhecimento. Em outra passagem, esse tema é retomado: "Com sabedoria edifica-se a casa, e com a inteligência ela se firma; pelo conhecimento se encherão as câmaras de toda sorte de bens, preciosos e deleitáveis. Mais poder tem o sábio do que o forte, e o homem de conhecimento, mais do que o robusto. Com medidas de prudência farás a guerra; na multidão de conselheiros está a vitória" (Provérbios 24:3-6). A busca da sabedoria precisa ser uma constante em sua vida e deve acontecer em três níveis ou degraus:

- O mais geral, que trata do saber, da sensatez e da instrução necessários para fazer escolhas certas e saber se conduzir na vida.
- A competência profissional, que se refere especificamente a saber *como trabalhar*, o que exige inteligência e habilidade.
- O conhecimento mais profundo, a intimidade com as áreas e as pessoas necessárias ao sucesso.

O caminho para adquirir esses três níveis de sabedoria é desenvolver a capacidade de buscar o aprendizado, ou seja, a disposição e humildade para adquirir conhecimento, o que ocorrerá por meio do estudo, da leitura (da Bíblia e de outros bons livros), da experiência ou da orientação e treinamento de um mentor, *coach*, professor, amigo ou colega de trabalho.

Você sabe que o mercado de trabalho é altamente competitivo, quase uma guerra diária. A Bíblia recomenda que sejamos prudentes, que busquemos conselheiros. Daí a importância do aperfeiçoamento contínuo para que, através dos conselheiros (que podem ser nossos livros, professores e colegas de trabalho), consigamos nos conduzir bem nessa guerra. Que conselheiros você tem seguido? Qual foi o último curso que fez, o último livro que leu, a última palestra a que assistiu? Você se lembra da última ocasião em que pediu conselho a uma pessoa sábia ou recorreu a um *coach*?

O PRIMEIRO DEGRAU DA SABEDORIA: SABER QUE VALORES SEGUIR

"Agir com sabedoria assegura o sucesso."

Eclesiastes 10:10b

Este primeiro e importante degrau trata da sabedoria de um modo geral e mais filosófico, ou seja, saber o que se quer, fazer escolhas sobre o caminho a seguir e como buscar felicidade e equilíbrio. Tem forte relação com os valores que você elege para se guiar no cotidiano e orientar suas decisões e ações.

Os valores equivalem ao guard-rail, aquela mureta de proteção que ajuda o motorista a conduzir o veículo sem sair da estrada nem se acidentar. Ao evitar os pecados capitais e seguir as leis do sucesso, você estará adotando valores, isto é, guias que servem para mantê-lo no rumo certo. Se você já dirigiu à noite em uma estrada mal sinalizada, sabe do que estamos falando. Quantos acidentes acontecem por falta de iluminação e sinalização corretas?

Muitos consideram que os valores éticos tiram oportunidades e a capacidade de competir no mercado, mas o exemplo do guard-rail é perfeito para demonstrar o contrário. Imagine um carro de Fórmula 1, correndo a toda a velocidade. Se o piloto sair da pista, terá "mais espaço", porém enfrentará a caixa de brita e outros obstáculos, podendo ficar preso ali e ter que abandonar a corrida. Falando em mercado, quem sai demais da pista e do traçado termina parando na "caixa de brita moral" (de imagem e credibilidade), quando não na "caixa de brita legal" (como o Código Penal), o que o faz perder tempo ou até a possibilidade de continuar na disputa.

Em suma, nem sempre o atalho faz você chegar mais rápido a algum lugar, nem sempre a liberdade total é positiva. Respeitar limites e regras, desde os de etiqueta até os da legislação vigente, representa um ganho de competitividade na linha do tempo.

Os antídotos para os pecados capitais e a rigorosa aplicação das Leis do Sucesso funcionam como referenciais que ajudarão a pessoa a tomar decisões, escolher se irá para a esquerda ou para a direita e saber a hora de virar o volante quando uma curva se aproxima.

Nosso sistema de crenças e valores é criado ao longo da vida, pela soma de nossas experiências pessoais e daquilo que nos é transmitido por nossos pais e pela escola, a igreja, os amigos, as pessoas que admiramos etc. O meio social e a cultura na qual estamos inseridos também têm um grande poder de influência. Até mesmo os comerciais de TV contribuem, de forma lenta, gradual e imperceptível, para a construção daquilo em que acreditamos e apostamos.

Nossos pensamentos, comportamentos e atitudes refletem nosso sistema de valores. Esses princípios direcionam nossas escolhas, e, como decorrência lógica, definem não só os resultados que obtemos como nosso potencial para alcançar o que almejamos. Sempre podemos optar por seguir estes ou aqueles valores, obedecer ou não estas ou aquelas leis. São as nossas decisões (sábias ou não) e seus desdobramentos que vão definir nosso destino.

O SEGUNDO DEGRAU DA SABEDORIA: SABER TRABALHAR

"Ide aprender."
Mateus 9:13

Sabedoria e competência são coisas distintas. Uma pessoa competente não é necessariamente uma pessoa sábia (e vice-versa). A confusão acontece por causa da seguinte definição de sabedoria: "saber *como* fazer". Mas sabedoria é "saber *o que* fazer". A competência reside no plano prático, ao passo que a sabedoria reside no plano filosófico. Uma pode estar próxima à outra, mas as duas não ocupam o mesmo espaço. Um médico pode ser muito competente para operar um doente, mas não ter sabedoria para lidar com o paciente.

Assim, quando falamos sobre competência dentro da Lei da Sabedoria, queremos ir um degrau além: saber viver é sabedoria, assim como saber trabalhar bem é ser competente.

A competência exige inteligência e habilidade, "sabedorias" bem específicas no sentido de "saber trabalhar", fazer um serviço caprichado ou um produto de qualidade.

Saber trabalhar com inteligência

Não basta trabalhar, é preciso trabalhar corretamente: ser eficaz, fazer um trabalho bem-feito e que dê resultados. Ninguém suporta um serviço porco, sem apuro e em total descumprimento das normas técnicas. Também não é inteligente "ficar enxugando gelo", ou seja, realizar um trabalho inútil, que não dá qualquer retorno.

Às vezes temos o "trabalho burro". Um exemplo: a pessoa que, em vez de providenciar um carrinho para transportar uma pilha de tijolos, faz inúmeras viagens carregando o material nas mãos. Nosso objetivo deve ser realizar nossas tarefas da forma mais segura, eficiente e produtiva possível.

Há vários exemplos de profissionais ruins, como o incompetente, que não sabe como trabalhar, e o preguiçoso, que pode até saber fazer, mas não quer se esforçar. Um erro comum é tentar se livrar de qualquer forma da tarefa, deixando para o chefe ou para algum colega o encargo de consertar ou refazer o trabalho.

A combinação da sabedoria/inteligência com a disposição de realizar um ótimo trabalho torna a pessoa um tipo raro de profissional, o que lhe dá uma grande vantagem competitiva.

Saber trabalhar com habilidade

Existe um grau de maestria que algumas pessoas desenvolvem, tornando-se exímias no que fazem. Várias expressões estrangeiras são empregadas com frequência no mundo dos negócios para transmitir essa ideia: *expertise*, *savoir-faire*, *good will*, *know-how* etc.

É aquela história da cozinheira que "sabe como mexer a colher". Não adianta dar uma receita de bolo para uma pessoa se ela não tem um mínimo de intimidade com a cozinha. Assim como, se você deixar uma mula em uma loja de cristais, quanto mais motivada e trabalhadora ela for, pior.

Já deixamos para trás a fase em que bastava ter energia e disposição. Estamos tratando agora de produtividade, qualidade e eficácia. Precisamos de resultados.

Mas será que a Bíblia diz isso? Vejamos as diferentes traduções de Provérbios 2:29:

> "Você já observou um *homem habilidoso* em seu trabalho? Será promovido ao serviço real; não trabalhará para gente obscura." (NVI)
>
> "Vês tu a um *homem perito* na sua vocação? Esse não assistirá perante homens obscuros." (VSBB)
>
> "Viste o *homem diligente* na sua obra? Perante reis será posto; não permanecerá entre os de posição inferior." (ACRF)
>
> "Você conhece *alguém que faz bem o seu trabalho*? Saiba que ele é melhor do que a maioria e merece estar na companhia de reis." (NTLH)

Quem sabe trabalhar bem é hábil, perito, diligente... irá para o topo, trabalhará para os reis, para os melhores, para os que remuneram melhor. O estudante hábil, perito, diligente tirará as melhores notas, conseguirá as melhores bolsas, passará nos melhores concursos e seleções.

Se você é um vendedor, marceneiro, professor, executivo, seja diligente no que faz, um perito, e será colocado entre os reis, vai trabalhar para gente grande, vai melhorar de vida. É a regra! E é simples assim: seja muito bom naquilo que faz!

Como fazer seu trabalho com perícia e diligência? Adquirindo sabedoria!

Você pergunta aos outros como deve fazer seu trabalho? Ou as pessoas é que costumam perguntar a você como fazer algo? A primeira pessoa a ser promovida, ou a última a ser demitida, é aquela que, em geral, *sabe* responder às perguntas sobre o que fazer, como, quando, onde e por quê.

Quem sabe exercer bem o seu ofício, mais cedo ou mais tarde, se destacará. Caso contrário, nada irá acontecer. A tendência será continuar no mesmo lugar, "marcando passo", correndo o risco de ir de mal a pior.

Um belo exemplo de quão prestigiado será quem é competente está em 1 Reis 7:13-14, que descreve o cuidado de Salomão para construir sua casa: "E enviou o rei Salomão um mensageiro e mandou trazer a Hirão de Tiro. Era ele filho de uma mulher viúva, da tribo de Naftali, e fora seu pai um homem de Tiro, que trabalhava em cobre; e era cheio de sabedoria, e de entendimento, e de ciência para fazer toda a obra de cobre; este veio ao rei Salomão, e fez toda a sua obra." Quando você é competente e sábio, as pessoas vão atrás de você. "O que adquire entendimento ama a sua alma; o que cultiva a inteligência achará o bem" (Provérbios 19:8).

O TERCEIRO DEGRAU DA SABEDORIA: INTIMIDADE (CONHECER A FUNDO SOBRE O QUE INTERESSA SABER)

"Procura conhecer o estado das tuas ovelhas; põe o teu coração sobre os teus rebanhos."
Provérbios 27:23

Quando a Bíblia recomenda conhecer o "estado das ovelhas", está se referindo a um grau de saber mais profundo a respeito dos outros ou de alguma coisa. John Haggai, autor de *Seja um líder de verdade*, conta a história de um empresário americano que queria fazer negócios na Indonésia. Ao chegar ao país, alugou um ótimo espaço no Business Center do aeroporto, ligou para um importante empresário local e deixou o seguinte recado: "Aluguei uma sala VIP no aeroporto, venha me encontrar e traga sua esposa. Vamos falar de negócios! Temos até às 17h30, quando sai o meu voo para Sidney." Por falta de pesquisa, ou seja, por falta de sabedoria – no caso, de "intimidade" com a cultura local –, esse empresário cometeu ao menos quatro erros:

1. O protocolo na Indonésia é ir ao encontro da pessoa com quem se quer fazer negócios, e não mandar que ela venha até você.
2. Pelos costumes locais, não se convida a família para reuniões de trabalho.
3. Não se considera educado falar de negócios no primeiro encontro.
4. Falar que o encontro tem hora para acabar é considerado ofensivo, como se quisesse dizer "minha agenda vale mais que a sua".

Estamos diante de falta de sensibilidade cultural, claro, mas é um ótimo exemplo de como o fato de ignorar certas coisas gera problemas desnecessários.

Você já se perguntou alguma vez quem é a "ovelha" que lhe interessa? Quem são as pessoas ou coisas sobre as quais você precisa ter informações detalhadas? Você conhece as pessoas com quem lida? A empresa onde trabalha ou para onde gostaria de ser contratado? O negócio que quer iniciar?

A sua "ovelha" pode ser as pessoas que você lidera ou que lideram você. A sua "ovelha" pode ser a empresa em que trabalha, não importa se você é o proprietário, o diretor-geral ou um simples funcionário. Não é porque a empresa não é sua que você pode se dar ao luxo de desconhecer seu funcionamento. E, se for o dono, maior ainda a razão para estar a par de tudo o que é relevante. Se souber quem faz o papel de "ovelha" na sua vida profissional e se dedicar de coração a conhecer seu estado, estará no caminho certo para alcançar o sucesso.

Há pessoas que vendem sanduíche na praia, mas não fazem as contas direito, de modo que trabalham para nada. Se somarem todos os ingredientes que precisam comprar, o preço da passagem para ir de casa até a praia e tudo o mais, descobrirão que não estão ganhando dinheiro. E isso também pode acontecer com grandes empresas. Se o editor deste livro não calcular bem os custos de papel, gráfica, diagramação, revisão, direitos autorais, distribuição, frete, perdas, sem falar nos custos fixos da editora, pode ter prejuízo. Se o editor vender a 20 reais um livro cujo preço de custo é 21 reais, quanto maior a venda, maior será o prejuízo!

Há pessoas que não sabem quanto devem ao banco, e outras que não anotam todas as suas dívidas com medo de encarar o tamanho real do problema. Como se isso ajudasse, quando na verdade atrapalha. Há pessoas que compram um produto de forma parcelada, levando em conta apenas o valor da prestação, sem atentar para os juros cobrados. Resultado: ao comprar uma geladeira ou um automóvel, pagam o equivalente a três desses bens. Como pode alguém prosperar desse jeito?

Em suma, a orientação bíblica é: "Conheça." Esta determinação consta dos conselhos contidos no livro do Gênesis: "Dominai."

Conheça o que você tem de fazer, e como. Conheça as pessoas com quem precisa lidar: seus funcionários, seus chefes, seus clientes. Conheça a empresa onde trabalha, seus processos, seus produtos e suas necessidades. E conheça a fundo, intimamente.

E, depois de conhecer o estado das ovelhas e colocar o coração sobre o rebanho, veja a advertência feita no versículo seguinte: "... porque o tesouro não dura para sempre", seguida do questionamento: "E durará a coroa de geração em geração?" (Provérbios 27:24)

Conhecer o estado de sua empresa também serve para saber a hora de mudar, de inovar, ou, se for o caso, até de fechá-la e partir para outra empreitada. É preciso conhecer o estado real da empresa, do mercado, e estar com o coração no seu negócio, na sua carreira.

3

A Lei da Visão

Então o Senhor me respondeu, e disse:
Escreve a visão e torna bem legível sobre tábuas,
para que a possa ler quem passa correndo.
Habacuque 2:2

O planejamento estratégico de qualquer empresa começa com "missão" e "visão", que se referem ao propósito da empresa e a como ela se vê daqui a algum tempo, em que posição deseja estar e de que forma quer ser conhecida.

A Lei da Visão diz que você precisa ter clareza sobre o que deseja para sua vida. Qual sua missão, sua razão de ser? Onde pretende chegar? Como quer ser conhecido? A escolha é sua. Você pode até mudar de ideia depois, mas é indispensável que defina esses conceitos para poder seguir em frente.

Talvez, na sua profissão ou na sua carreira, você já tenha preparado ou lidado com planejamento estratégico, mas e na sua vida? Você já analisou qual sua missão, sua visão e seus valores? Já fez um estudo de suas forças e fraquezas? Das possibilidades e ameaças que tem pela frente?

Alguns gostam de chamar a visão de sonho. Você pode chamar como preferir: visão, sonho, meta, objetivo, propósito. O importante é saber o que quer. Sem objetivos não existe progresso. É preciso ter desejos, sonhos, planos. Se você tiver uma visão e de fato implementá-la, estará lançando as bases do seu sucesso.

Quando definimos aquilo que almejamos, podemos estabelecer prioridades e equacionar nossos esforços. Como já dissemos, a vida tem várias dimensões – família, trabalho, dinheiro, amor, saúde, lazer, espiritualidade –, cada uma com seu lugar e importância. Por isso, entendemos a prosperidade como a realização no conjunto dessas áreas.

Sim, você pode ter sucesso em diversas áreas. Não estamos dizendo que é fácil, mas que é possível. E antes de tudo você precisa saber aonde quer chegar.

Salomão, o homem mais sábio que já existiu, disse que "melhor é o prato de hortaliças onde há amor, do que o boi cevado e, com ele, o ódio" (Provérbios 15:17). Isso mostra que o dinheiro, embora útil, não é o único medidor de sucesso. Se a pessoa investe demais em obter ganhos financeiros e esquece a família, está fazendo uma opção perigosa.

Pare um instante e reflita:

- O que é o sucesso para você?
- Você o encara como algo bom ou ruim? Ele é sua prioridade?
- Como acha que pode conquistá-lo?
- Que meios tem usado ou pretende usar para alcançar seus objetivos?
- Como você lida com o dinheiro?

Quando a busca é séria, vale a pena fazer perguntas e buscar respostas. Independentemente do seu conceito de sucesso, você não poderá fugir desta verdade: ele não será alcançado sem um considerável grau de esforço e alguma disposição para correr riscos.

Por fim, gostaríamos de dizer que sucesso e fracasso não devem ser usados para rotular as pessoas. Sucesso e fracasso se aplicam às situações e não aos indivíduos. São duas faces da mesma moeda, um retrato dos resultados obtidos até um determinado momento, consequência de um conjunto de escolhas e circunstâncias do passado. Consequentemente, novas escolhas (mentais e comportamentais) podem mudar sua realidade. É tudo uma questão de causa e efeito ou, na linguagem utilizada por Jesus, de semear e colher.

IMAGINAÇÃO

"Nós somos feitos do tecido de que são feitos os sonhos."
William Shakespeare

O requisito básico, o ingrediente essencial para desenvolver sua visão é a imaginação. Salomão diz: "Porque, como imaginou no seu coração, assim ele é" (Provérbios 23:7a).

Você tem que descobrir sua missão e sua visão, mas para isso necessita de uma dose de sonho, coragem e ousadia. A ideia é que você "pense fora da caixa", seja essa caixa a timidez, o medo ou as limitações que você ou outras pessoas impõem aos seus sonhos. A imaginação constrói o mundo. O que a pessoa imagina... assim ela é. Imagine grandes feitos, e você será grande; imagine pequenos feitos, e você será pequeno. Portanto, pense grande.

"Obstáculos são aqueles perigos que você vê quando tira os olhos de seu objetivo."
Henry Ford

4

A Lei do Foco

"Pois eu assim corro, não como a coisa incerta; assim combato, não como batendo no ar."
1 Coríntios 9:26

A visão é uma "fotografia do futuro", mas para chegarmos até lá é preciso focar no objetivo. Por isso, temos a Lei do Foco.

Aquilo que você foca, aquilo a que dá atenção, se expande. Jesus disse que onde a pessoa depositar o que é mais importante para ela, ali estará seu coração. E, claro, onde estiver seu coração será a área em que irá se desenvolver: "Porque, onde estiver o vosso tesouro, ali estará também o vosso coração" (Lucas 12:34).

Sêneca, um dos mais célebres escritores e intelectuais do Império Romano, afirmou: "Se um homem não sabe a que porto se dirigir, nenhum vento lhe será favorável." Cabe a você focar uma meta, algo em que, de preferência, tenha boa possibilidade de se destacar, por vocação e/ou preparo. Todos nós temos talentos e características que nos favorecem a ter mais sucesso em determinadas situações do que em outras.

Ao contrário de pensar na distância que o separa de seus objetivos, procure se concentrar em uma mudança de performance. Siga as leis do sucesso e tenha absoluta certeza de que estará cada vez mais perto do que deseja. Lembre-se de que o tempo passa de qualquer maneira. Melhor, então, que ele avance com você evoluindo. Em um mundo que não para, no qual a mudança é a única constante, ficar estagnado significa ficar para trás. Então, nem que seja para se manter no mesmo lugar, é preciso algum movimento.

Um dos modos de trabalhar seu foco é estabelecer planos de trabalho diários, semanais e mensais, além de outros semestrais ou anuais. E marcar na mente, assim como anotar no papel, no computador ou no tablet, onde você deseja estar ano que vem, daqui a cinco, dez ou vinte anos. Estudos demonstram que as metas registradas, seja em papel, seja em algum outro suporte, são mais fáceis de alcançar do que as guardadas apenas na memória.

Uma sugestão é fazer uma lista diária, mesmo de coisas "bobas". Cada tarefa realizada deve ser marcada com um tique ou com um ok. Isso já proporciona uma sensação de "dever cumprido". Quando não conseguimos concluir uma tarefa, a lista ajuda a ver o que faltou e a repensar os planos, até para decidir se aquela meta é realizável ou não. Esses checklists são ótimos para tudo, desde fazer compras no supermercado e arrumar uma mala antes de viajar até organizar as matérias a estudar.

Não desanime caso observe que não conseguiu fazer tudo. E guarde as listas, pois daqui a um, cinco ou dez anos verá que os objetivos focados se realizaram, enquanto outros a que você não deu tanta atenção (mas que talvez também fossem importantes) não se concretizaram.

Se você tiver medo do tamanho da empreitada, se tiver preguiça, se não estiver disposto, saiba que em cinco ou dez anos você estará igual ou pior ao que é hoje, quando decidiu não se mexer. Aliás, provavelmente pior. Tudo o que depende de você deve ser feito da melhor forma a fim de garantir a continuidade de seu sucesso. Mexa-se!

Ao tratar desse tema em palestras, eu, Rubens, costumo aconselhar: "Foque um objetivo em um prazo fixo. Cinco anos é um bom ciclo. Se neste prazo você seguir princípios de sucesso, conseguirá medir uma considerável evolução. Se gastar tempo com supérfluos, certamente sofrerá os efeitos disso."

Estabeleça suas metas pessoais e o prazo em que deseja cumpri-las. Esse é o começo da ação.

FOCO X SACRÍFICIO

Focar é sacrificar. A Bíblia fala de um negociante que procurava pérolas e que, ao encontrar uma de grande valor, foi, vendeu tudo o que tinha e a comprou (Mateus 13:45-46). Esse homem achou algo tão perfeito que fez o sacrifício necessário para realizar seu sonho. Esse trecho mostra a relação entre foco e sacrifício. Ninguém consegue se concentrar em algo se ao mesmo tempo não tiver coragem de sacrificar outras coisas.

Do mesmo modo, Jesus disse que "se o grão de trigo, caindo na terra, não morrer, fica ele só; mas se morrer, dá muito fruto" (João 12:24). Isso nos revela que toda obra, todo fruto, toda realização demanda algum tipo de sacrifício. Assim, tão importante quanto saber o que você quer e colocar esse objetivo em foco, é saber o que precisará sacrificar... e fazer isso.

O sucesso sempre exige algum sacrifício. O fracasso também. Repare que tanto o sucesso quanto o fracasso cobram um preço. Em geral, o preço do sucesso é cobrado antes e a pessoa aproveita a vida depois. O fracasso normalmente acontece com pessoas que no início não se esforçam: elas pagam o preço depois.

A Bíblia explica que existem alimentos que são doces na boca, ou seja, no começo, e amargos depois: "Disse-me ele: Toma-o e come-o; ele fará amargo o teu ventre, mas na tua boca será doce como mel" (Apocalipse 10:9). Também diz que há alimentos amargos na boca, mas doces no estômago. A nosso ver, a vida profissional se parece muito com isso: compensa fazer muito esforço em uma fase inicial, amarga talvez, para ter a parte mais doce depois. Não fazer os sacrifícios certos agora pode parecer doce, mas é possível que o final seja amargo.

FOCO X MENTE POSITIVA

"Portanto, (...) buscai as coisas que são de cima (...). Pensai nas coisas que são de cima, e não nas que são da terra."
Colossenses 3:1-2

Nosso cérebro é programado por nossos pensamentos. Quanto mais se pensar em coisas boas, mais coisas boas acontecerão. Claro que os pensamentos sozinhos não mudam a realidade, é preciso ação, sacrifícios e persistência. Mas tudo começa na mente. Existem estudos que mostram que as pessoas otimistas, ou seja, as que ocupam a mente com pensamentos positivos, obtêm mais resultados.

Quando a Bíblia recomenda buscar as coisas que são de cima, está dizendo para procurar objetivos mais elevados, ir atrás das melhores ideias e pensamentos para a sua vida.

"Quanto ao mais, irmãos, tudo o que é verdadeiro, tudo o que é honesto, tudo o que é justo, tudo o que é puro, tudo o que é amável, tudo o que é de boa fama, se há alguma virtude, e se há algum louvor, nisso pensai."
Filipenses 4:8

5

A Lei do Planejamento

"Os planos bem elaborados levam à fartura."
Provérbios 21:5

Ninguém que pretenda ter sucesso pode desprezar a Lei do Planejamento. Veja este trecho de Lucas 14:26-32: "Pois qual de vós, querendo edificar uma torre, não se assenta primeiro a fazer as contas dos gastos, para ver se tem com que a acabar? Para que não aconteça que, depois de haver posto os alicerces, e não a podendo acabar, todos os que a virem comecem a escarnecer dele, dizendo: este homem começou a edificar e não pôde acabar. Ou qual é o rei que, indo à guerra a pelejar contra outro rei, não se assenta primeiro a tomar conselho sobre se com dez mil pode sair ao encontro do que vem contra ele com vinte mil? De outra maneira, estando o outro ainda longe, manda embaixadores e pede condições de paz."

A fase do planejamento é fundamental para a boa execução de qualquer trabalho ou projeto. Não iremos aqui dar um curso sobre planejamento, mas apenas alertar que essa é uma providência essencial. Queremos que você incorpore esse conceito e que procure livros e cursos para aprender a organizar e planejar melhor sua vida e sua carreira.

Existem três "degraus" do planejamento:

1. Planejamento geral, estratégico, de longo prazo.
2. Planejamento por fases menores (quinquenal, anual, semestral, trimestral, mensal).
3. Planejamento semanal e diário, que chamamos de administração do tempo.

Muitas pessoas acreditam que planejar é enfadonho e nem tentam por considerarem difícil aprender como se organizar melhor. Mas esquecem que planejar poupa sofrimento e evita desperdício.

Quando há recursos de sobra, não é preciso se preocupar tanto com planejamento, mas para a maioria das pessoas não é esse o caso. Imagine alguém que queira comprar uma casa. Se fizer uma pesquisa antes, escolherá a melhor oferta, levando em conta o estado de conservação do imóvel, o preço e as condições de pagamento. Se não quiser ou não puder fazer esse estudo prévio, provavelmente comprará uma casa mais cara ou com problemas, deixando de fechar um negócio melhor por causa da pressa.

Quem planeja bem já é, por si só, um profissional diferenciado no mercado brasileiro. Nossa cultura não prestigia o planejamento, em especial o de longo prazo. O brasileiro é imediatista, faz tudo na última hora. Basta ver como se cuida da infraestrutura do país e como (não) funciona o planejamento para eventos como a Copa do Mundo e as Olimpíadas. Se você agir de forma diferente, já estará acima da média.

O primeiro passo do planejamento é decidir o que se quer. Seja o objetivo final, seja uma meta intermediária, defina previamente o que você pretende fazer.

Há vários sistemas e ferramentas que poderão ajudá-lo nessa etapa, assim como cursos e livros. Uma técnica de gestão empresarial bastante utilizada é a Análise SWOT, que propõe um estudo do cenário externo e da realidade interna de uma organização como base para o planejamento estratégico. Esse sistema teria sido desen-

ı partir de uma pesquisa realizada por Albert Humphrey ersidade de Stanford nas décadas de 1960 e 1970, calcado dos da revista *Fortune* sobre as 500 maiores corporações. Essa análise é boa para definir que ações estratégicas você adotará, porque permite conhecer os fatores favoráveis e desfavoráveis que serão enfrentados.

O termo SWOT é um acrônimo em inglês de Forças (*Strenghts*), Fraquezas (*Weaknesses*), Oportunidades (*Opportunities*) e Ameaças (*Threats*). De fácil aplicação tanto na vida pessoal quanto profissional (carreira, empresa, produtos, serviços e equipes), esse sistema tem por objetivo verificar o ambiente interno, composto pelos itens forças e fraquezas, e o externo, relacionado às oportunidades e ameaças. No contexto pessoal, podemos falar em qualidades e defeitos, no plano interno, e em facilidades e dificuldades, no plano externo.

Para saber como essa ferramenta pode ajudá-lo, responda às perguntas a seguir:

Pontos Fortes

- O que você (sua empresa, produto, equipe) faz bem?
- Que recursos especiais você possui e pode aproveitar?
- O que você tem de diferente dos outros? Como e onde pode aprofundar seus diferenciais?
- O que as outras pessoas acham que você faz bem?
- Em que tipo de atividade você se sai melhor?

Pontos Fracos

- Quais são seus defeitos?
- O que precisa melhorar?
- Em que aspectos você é menos capaz ou qualificado que a média?
- Que mudanças pode fazer para melhorar?
- Que qualidades tem para compensar as fraquezas?

- É possível contratar alguém ou utilizar alguma ferramenta para compensar suas fraquezas?
- Quais são as características (defeitos, fraquezas, vícios, problemas) que geram mais reclamações a seu respeito?

Ameaças

- Quais as dificuldades externas que atrapalham seus planos?
- Que acontecimentos ou circunstâncias podem lhe prejudicar?
- Quais são os problemas externos que você pode solucionar ou, pelo menos, minimizar?
- Quais as estratégias e diferenciais para se adaptar de modo a superar as dificuldades?

Oportunidades

- Quais são as oportunidades externas que você identifica?
- O que pode fazer por você, pela empresa, pelos clientes e que pode servir como oportunidade?
- Quais as circunstâncias que podem ajudá-lo?
- Que aliados e recursos você tem à disposição, mas não utiliza (por exemplo, bolsas de estudo, livros, estágios, cursos, amigos mais experientes)?
- Que aliados e recursos você não tem à disposição, mas poderia ter se fizesse algum esforço?

Essas respostas vão ajudá-lo a analisar melhor a situação e criar um plano estratégico para sua vida, sua carreira e/ou seus negócios.

Um bom exemplo da importância do planejamento foi dado por Jesus na parábola das dez virgens à espera do noivo:

"Cinco delas eram insensatas, e cinco eram prudentes. As insensatas pegaram suas candeias, mas não levaram óleo consigo.

As prudentes, porém, levaram óleo em vasilhas juntamente com suas candeias. O noivo demorou a chegar, e todas ficaram com sono e adormeceram. À meia-noite, ouviu-se um grito: 'O noivo se aproxima! Saiam para encontrá-lo!' Então todas as virgens acordaram e prepararam suas candeias. As insensatas disseram às prudentes: 'Deem-nos um pouco do seu óleo, pois as nossas candeias estão se apagando.' Elas responderam: 'Não, pois pode ser que não haja o suficiente para nós e para vocês. Vão comprar óleo para vocês.' E saindo elas para comprar o óleo, chegou o noivo. As virgens que estavam preparadas entraram com ele para o banquete nupcial. E a porta foi fechada. Mais tarde vieram também as outras e disseram: 'Senhor! Senhor! Abra a porta para nós!' Mas ele respondeu: 'A verdade é que não as conheço!'" (Mateus 25:2-12)

A oportunidade, podemos dizer, é uma noiva que nem sempre chega na hora que preferimos, mas que – ao chegar – deve nos encontrar preparados. Para isso, o planejamento e a preparação prévia são o caminho.

Planejamento tem muito a ver com prudência. De acordo com o Dicionário Houaiss, prudente é aquele que tem prudência, que não procura o perigo; é cauteloso, sensato, ajuizado. É também aquele que costuma se precaver, preparar-se antecipadamente; é precavido, previdente.

E o que manda Jesus? "Portanto, sejam prudentes como as serpentes e simples como as pombas" (Mateus 10:16).

Agir sem planejamento não denota coragem, mas tolice. Veja o que diz Salomão: "O sábio é cauteloso e evita o mal, mas o tolo é impetuoso e irresponsável" (Provérbios 14:16). Em *A vida do rei Henrique V* (Ato III, Cena VII), William Shakespeare expressa muito bem a importância da prudência e do planejamento: "O arco do tolo dispara depressa." A falta de planejamento e a pressa são contraproducentes.

A IMPORTÂNCIA DA ADMINISTRAÇÃO DO TEMPO

Planejamento não é algo que se faz uma vez e nunca mais. É algo rotineiro. Assim como devemos fazer um planejamento para daqui a um ou cinco anos, também devemos planejar nosso dia, nossa semana e o que faremos no mês seguinte.

Administrar bem seu tempo é um dos grandes segredos do sucesso. Quanto mais hábil você for ao gerir seu tempo, melhor. Lembre-se de que o ser humano dispõe de 24 horas por dia para desenvolver seus sonhos e sua carreira. Algumas pessoas têm melhores condições financeiras ou intelectuais e isso as beneficiará, mas não adianta ficar com inveja e não enfrentar seus desafios pessoais.

Nossa recomendação é que você aprenda a administrar seu tempo e a estar presente em cada atividade que realizar, concentrando-se nela. Outro cuidado importante é ter horários para descansar e recuperar suas energias, o que trataremos mais adiante na Lei da Recarga (pág. 99).

Salomão falou sobre isso no capítulo 3 do livro de Eclesiastes:

> "Tudo tem o seu tempo determinado, e há tempo para todo o propósito debaixo do céu. Há tempo de nascer, e tempo de morrer; tempo de plantar, e tempo de arrancar o que se plantou; tempo de matar, e tempo de curar; tempo de derrubar, e tempo de edificar; tempo de chorar, e tempo de rir; tempo de prantear, e tempo de dançar; tempo de espalhar pedras, e tempo de ajuntar pedras; tempo de abraçar, e tempo de afastar-se de abraçar; tempo de buscar, e tempo de perder; tempo de guardar, e tempo de lançar fora; tempo de rasgar, e tempo de coser; tempo de estar calado, e tempo de falar; tempo de amar, e tempo de odiar; tempo de guerra, e tempo de paz. Que proveito tem o trabalhador naquilo em que trabalha? Tenho visto o trabalho que Deus deu aos filhos dos homens, para com ele

os exercitar. Tudo fez formoso em seu tempo; também pôs o mundo no coração do homem, sem que este possa descobrir a obra que Deus fez desde o princípio até ao fim. Já tenho entendido que não há coisa melhor para eles do que alegrar-se e fazer bem na sua vida. E também que todo o homem coma e beba, e goze do bem de todo o seu trabalho; isto é um dom de Deus."

Recomendamos que você procure aprender mais a respeito da administração do tempo. Há muitos livros sobre o assunto em que você pode descobrir diferentes técnicas para gerir sua agenda. O quadro horário, por exemplo, é uma ferramenta importante. No entanto, muitas pessoas o veem com desconfiança, porque acreditam que vão se tornar escravas dele. Isso é tolice. O planejamento do tempo visa organizar melhor os horários de estudo, trabalho, lazer, família e cuidados pessoais, proporcionando mais liberdade, flexibilidade e produtividade. Assim, você poderá aproveitar sua vida hoje e preparar um futuro melhor.

A administração do tempo é tão importante que não pode ser deixada de lado nem mesmo depois de se ter construído uma carreira ou empresa vitoriosa. O sucesso traz coisas boas (como convites e propostas) e ruins (como ataques e inveja). E você precisa estar preparado para lidar com ambas, senão terá problemas. Um aprendizado essencial é saber dizer "não", seja aos ressentimentos, seja à avalanche de propostas que receberá.

Se não aprender a dizer "não", semeará insucessos, pois não terá mais tempo para se atualizar e aperfeiçoar profissionalmente, para estar com a família e os amigos e fazer as coisas de que gosta.

"Quem falha em planejar, planeja falhar."
Winston Churchill

AS LEIS DO TRABALHO

6

A Lei do Trabalho

"Levanta-te, pois, porque te pertence este negócio, e nós seremos contigo; esforça-te, e age."
Esdras 10:4

"Em todo trabalho há proveito, mas ficar só em palavras leva à pobreza."
Provérbios 14:23

Você conhece a charada dos três sapos que estão em cima de uma folha no meio de um rio? Pois bem, um deles decide pular na água. Quantos sapos restam na folha?

Pense um pouco antes de dar a resposta, porque ela não é tão óbvia como parece.

A resposta correta é: restam três sapos, porque um deles apenas decidiu pular, mas não está escrito que o fez. Muitas vezes agimos como o sapo dessa história. Resolvemos fazer isso ou aquilo, mas acabamos não fazendo nada.

Na vida, temos que tomar muitas decisões – algumas fáceis, outras difíceis. A maior parte dos erros que cometemos não se deve a escolhas erradas, e sim à indecisão, à omissão e à falta de ação por medo de errar.

Agir envolve riscos, sim, mas os desafios precisam ser enfrentados – ainda que com planejamento e sabedoria –, porque o maior fracasso da vida é não fazer nada. Quem fica de braços cruzados não constrói absolutamente nada, não se transforma em nada. Pode até evitar o sofrimento e a dor, mas não aprende, não sente, não muda, não cresce, não vive. Preso à sua servidão, é um escravo que teme a liberdade. Apenas quem se arrisca é livre.

A ação tem duas modalidades principais: o estudo e o trabalho. O estudo é uma das formas de trabalho, pois nos proporciona conhecimento e sabedoria. Em geral, é necessário fazer um investimento de longo prazo no estudo para alcançar determinados postos de trabalho, ganho e competência. Porém, mesmo que se chegue ao topo, não se pode nunca parar de estudar.

Como o conhecimento humano aumenta todos os dias e o mundo está em constante evolução, é preciso sempre se reciclar e atualizar. Logo, o estudo faz parte não só do processo de se conseguir um bom emprego ou montar uma empresa, mas também do cotidiano de qualquer profissional ou empresário estabelecido que queira continuar bem no mercado. Só estudar, porém, não resolve tudo.

Dizer que o único lugar onde sucesso vem antes de trabalho é no dicionário já virou lugar-comum. Mas é um fato. Quando bem compreendido, esse pensamento resulta em êxito na vida profissional. Porém, se ignorado, acaba provocando confusão, perda de tempo e desperdício de dinheiro.

Sucesso decorre de trabalho. E o trabalho começa com a busca de conhecimento, seja pelo estudo, seja pela prática.

Uma das armadilhas na busca do sucesso é tentar fugir do trabalho pegando atalhos. Nem sempre o caminho mais curto, ou fácil, é o melhor. É interessante compreender que às vezes a demora é algo positivo. Pode ser que o sucesso cedo demais seja ruim, pois a pessoa ainda não tem maturidade para administrar o que conseguiu.

A Lei do Trabalho é tão poderosa que, de modo geral, quem obtém sucesso ou dinheiro sem esforço e de maneira ilícita corre sério risco de não manter suas conquistas por muito tempo. "A riqueza de procedência vã diminuirá, mas quem a ajunta com o próprio trabalho a aumentará" (Provérbios 13:11).

CONFIANÇA

"Se você acredita em si mesmo, ou se não acredita, você está certo."
Henry Ford

Existe um valor indipensável para que o trabalho frutifique: acreditar em você e na sua visão, acreditar no que está fazendo ou na empresa que está montando ou gerindo.

A Bíblia diz que "o que lavra deve lavrar com esperança e o que debulha deve debulhar com esperança de ser participante" (1 Coríntios 9:10). Nada acontece sem que a pessoa acredite. Sem fé é impossível fazer algo, porque "a fé é o firme fundamento das coisas que se esperam, e a prova das coisas que se não veem" (Hebreus 11:1). Também diz que "por meio da fé e da paciência" se alcança a "herança prometida" (Hebreus 6:12). Não falamos aqui de fé religiosa, mas de fé em você e no que está fazendo.

Diversos estudos e pesquisas demonstram que acreditar em si mesmo e nos próprios projetos é indispensável para alcançar o sucesso, para ter motivação e para enfrentar as dificuldades naturais de qualquer empreendimento. Se você não tem fé no seu projeto, empresa ou produto, ninguém terá. Portanto, tenha fé.

DEDICAÇÃO

"Tudo quanto te vier à mão para fazer,
faze-o conforme tuas forças."
Eclesiastes 9:10

Não basta trabalhar. É preciso fazê-lo com dedicação. Muitos são os empresários, funcionários e prestadores de serviços que contrariam esse princípio, adotando a prática de economizar ao máximo seus esforços – o que reduz suas possibilidades de crescimento também.

Se, em vez de trabalhar "para inglês ver", você se dedicar integralmente ao que faz, o reconhecimento não tardará a chegar.

Não importa se algumas pessoas vão considerá-lo insano, tolo ou adulador, não lhes dê ouvidos.

Uma empresa que agir assim será vitoriosa no mercado, um professor ou palestrante que agir assim nunca ficará sem trabalho. Esse é um conceito de viés religioso que, se aplicado em sua essência (dedicação e capricho), traz resultados não apenas espirituais, como também seculares e profissionais.

A Bíblia é enfática: se você quer melhorar de vida, aprenda a trabalhar bem e a ser diligente, competente e caprichoso, a "fazer de todo o coração" (Colossenses 3:23).

Também podemos chamar a dedicação de entusiasmo. Napoleon Hill menciona que o entusiasmo é o combustível que move homens e mulheres rumo a grandes descobertas e empreendimentos. Os realizadores são profundamente apaixonados por seus objetivos, tanto que não só têm grande entusiasmo pessoal, como também despertam o mesmo sentimento em sua equipe, a despeito das condições externas.

Logo, se você quer sucesso, aprenda a se apaixonar pelo que almeja e a motivar a si mesmo e as pessoas ao seu redor. Aprenda a viver com paixão. Saiba que o entusiasmo, assim como o desânimo, é contagioso.

A dedicação envolve persistência e esforço. Salomão recomenda: "Semeia pela manhã a tua semente, e à tarde não repouses a mão, porque não sabes qual prosperará; se esta, se aquela, ou se ambas igualmente serão boas" (Eclesiastes 11:6).

Salomão afirma também que "Onde não há bois o celeiro fica vazio, mas da força do boi vem a grande colheita" (Provérbios 14:4). O que ele quis dizer com isso? Primeiro, ele está falando da opção por ter mais trabalho e, assim, mais resultados. Se você deixa o lugar de produção vazio, aparentemente está tudo bem, porque não há trabalho. Mas é do "preenchimento" que advém a produtividade. Temos que colocar alguma coisa no espaço profissional para que haja crescimento. Um boi dá muito trabalho, mas também dá retorno.

Segundo, se você utilizar instrumentos adequados, aumentará sua produtividade. Se você tem uma fazenda e deseja ter um boi, sabe que o animal requer cuidados e vai dar trabalho. Em compensação, você poderá contar com a força dele no cultivo da terra e obter uma colheita maior. Da mesma forma, você pode ter uma fazenda e querer comprar um trator, que também dará trabalho. Mas pense em como ele irá aumentar a sua produtividade. Para melhorar sua remuneração, além de trabalhar de forma mais eficiente ou investir mais no seu negócio, há a opção de se especializar. Seu trabalho terá maior valor agregado.

Há profissionais que preferem a zona de conforto, que leva à ausência de riscos, mas também à ausência de maturidade e sucesso. Que tipo de profissional é você? É aquele que recusa o boi e o trator para não ter mais trabalho e acaba perdendo a oportunidade de ter uma colheita abundante? Ou o que tem coragem de bancar mais trabalho e de se aperfeiçoar, a fim de garantir um retorno maior? Que tipos de equipamentos, programas e ferramentas você poderia usar para aumentar sua produtividade e ainda não está utilizando?

O que você tem no seu celeiro? Ele pode, e deve, estar limpo, mas no sentido de asseio e higiene, jamais pela falta de produção.

PERSISTÊNCIA

"Se o machado está cego e sua lâmina não foi afiada, é preciso golpear com mais força; agir com sabedoria assegura o sucesso."
Eclesiastes 10:10

A persistência é outra característica fundamental para se trabalhar bem, pois revela atitude e disposição vencedoras. Aníbal, general cartaginês que conquistou Roma, disse aos seus comandados: "Descobriremos um caminho, ou construiremos um." Os romanos, por sua vez, tinham um pensamento interessante: "Se não houver vento, reme." O versículo em epígrafe segue essa linha: quando o machado está cego, você o afia ou bate com mais força. De um jeito ou de outro, a pessoa vai cortar a árvore.

Machado cego x machado afiado

Se seu machado não está funcionando, você tem dois caminhos. O primeiro é bater com mais força. O segundo é afiar o machado. Se você está fazendo uma prova e não passa, ou quer fazer uma venda e não consegue, talvez esteja batendo mais forte e... ficando exausto.

Afiar o machado é mais inteligente do que bater com mais força. Isso fica bastante claro nesta conhecida história de um vigoroso lenhador que queria bater o recorde de 72 árvores derrubadas. No primeiro dia, ele conseguiu pôr abaixo 70 árvores. Então, no dia seguinte, acordou um pouco mais cedo, trabalhou mais duro e cortou apenas 68 árvores. No outro dia, acordou ainda mais cedo, esforçou-se ainda mais, trabalhou exaustivamente e cortou apenas 60 árvores. Frustrado, sentou-se para descansar. Com pena do jovem, um velho e experiente lenhador aproximou-se dele e perguntou: "Meu filho, quanto tempo você reservou para afiar o machado?"

Quanto mais se usa o machado, mais ele perde o corte e menor sua produtividade. Aprenda a afiar seu machado, mesmo que sua produtividade seja boa, pois ela poderá se tornar melhor ainda. Não se satisfaça com pouco, não se conforme com uma vida medíocre. Sempre é possível aprender algo novo, crescer profissionalmente e fazer seu trabalho melhor. Isso lhe trará mais qualidade de vida e propiciará bem-estar para todos.

Se tiver escolha, prefira afiar o machado. Mas, se não tiver as condições nem os instrumentos adequados, o melhor a fazer é agir com maior disposição e energia. Bata mais forte.

Muitas pessoas reclamam que fazem tudo certo no trabalho e não obtêm reconhecimento. Os chefes não as valorizam, zombam de seu esforço e atrapalham seu progresso. Foi isso que aconteceu comigo, Rubens, como conto a seguir:

“Tive uma vida muito difícil, de pobreza extrema. Pais dignos, mas que criaram seis filhos com menos de dois salários mínimos por mês. Estudei em colégio público do primeiro ano do ensino fundamental até o segundo ano do ensino médio. Assim que meu irmão mais velho, Paulo, se formou sargento, resolveu pagar para que eu cursasse o terceiro ano do ensino médio em um colégio particular. Nesse colégio de alto nível de ensino, fui chamado de semi-idiota e desencorajado a continuar estudando, sob alegação de que não passaria em concurso algum.

Passei para alguns concursos com boa classificação. Já na Academia Militar das Agulhas Negras (AMAN), também fui desencorajado por algumas pessoas. Eu não sabia nadar e encontrava enormes dificuldades. Afoguei-me diversas vezes, mas não desisti e cheguei a nadar 1.500 metros. Terminei a AMAN como oficial de infantaria e prestei concurso para o IME, depois de ser duramente desencorajado a fazê-lo. Fui o sétimo colocado.

Já capitão, servindo no Acre, eu me inscrevi para o concurso de analista do Banco Central. Minha esposa teve um quadro de pré-eclâmpsia grave e depois do parto ficou internada com o meu filho. Mesmo com esposa e filho doentes, sem materiais adequados ou cursos, tive que arrumar forças para enfrentar a luta desigual e tive êxito.

No Banco Central ouvi questionamentos sobre por que eu estudava tanto. Queriam saber se eu esperava reconhecimento. Quando fiz doutorado, fui desencorajado por colegas da instituição que alegavam que minha tese não tinha afinidade com o BC. Enfrentei tudo isso e tive a tese de doutorado premiada pelo próprio governo, indicando a alta relevância do trabalho para a política econômica brasileira. Minha pesquisa foi tema de artigos em revistas científicas de grande reconhecimento no Brasil e no exterior.

Enfim, quando as pessoas não acreditaram em mim, precisei olhar para a frente e acreditar, mesmo que quase sozinho.

Quando procuraram me desprestigiar, respondi fazendo as tarefas a mim atribuídas com máximo zelo, cuidando para não errar. Nunca deixei de ajudar os que me desprestigiaram. Sabia que um dia o reconhecimento viria. Seria algo natural. Eu dizia que se alguém não quisesse ser usado por Deus para me abençoar, Deus levantaria outro e eu seria abençoado. Contudo, tive que transpor as etapas de descrédito, humilhação, perseguição, desprestígio e falta de recursos financeiros.

Por isso, acredito que só vence quem não esmorece. Só vence quem persevera e não desiste. Quando o caminho é difícil, a perseverança vale mais que a inteligência.

No livro *Do monturo Deus ergue um vencedor* (Editora Betel), Jorge Videira conta, em detalhes, minha história de luta: a esperança, a fé e o esforço necessários para superar todas as dificuldades que vivi. Para vencer, eu faria tudo de novo."

Uma frase do filme *Tropa de elite* – que mostra o treinamento para ingresso no BOPE (Batalhão de Operações Policiais Especiais) – caiu no gosto do público: "Não está aguentando, pede para sair." No BOPE, também se fala muito: "Sabia que era difícil, veio porque quis." O sucesso profissional é parecido: é difícil, e até podemos pedir para sair. Mas são os que ficam e vencem que conseguem realizar seus sonhos.

Guy Falks diz que "não basta bater na porta certa. É preciso bater até abrir". Isso é perseverança. Se não dá para afiar o machado, então bata mais forte até que a madeira seja cortada.

"O pessimista queixa-se do vento, o otimista espera
que ele mude e o realista ajusta as velas."
William George Ward

7

A Lei da Coragem

"Se te mostras fraco no dia da angústia,
a tua força é pequena."
Provérbios 24:10

A coragem envolve a disposição de tomar a iniciativa e se arriscar. No capítulo 25 de Mateus, Jesus conta a parábola dos talentos, em que um servo medroso, por falta de coragem, não investiu o dinheiro que recebeu do patrão e foi demitido. Jesus diz que certo homem precisou ausentar-se do país, chamou seus servos e confiou a eles os seus bens. A um dos serviçais deu cinco talentos (dinheiro equivalente a um ano de salário do trabalhador), a outro, dois, e ao último, um. A distribuição teve como critério a capacidade de cada servo. O que recebeu cinco talentos saiu imediatamente a negociar com eles e ganhou outros cinco. Do mesmo modo, o que recebeu dois, ganhou outros dois. Mas o que recebeu um, abriu uma cova e escondeu o dinheiro do patrão.

Depois de muito tempo, o homem voltou e foi ajustar contas com os servos. Os dois primeiros não ficaram parados e aproveitaram para fazer mais dinheiro. O último, porém, por medo ou insegurança, escondeu o dinheiro, que não rendeu nada. É claro que o dono dos bens não gostou. Acabou tirando dele o talento que lhe tinha dado e entregando para outro. "Você desperdiçou a oportunidade de fazer meu dinheiro render", afirmou o patrão.

Todo investimento requer uma análise estratégica e tem um risco implícito. A ousadia não pode ser tão grande a ponto de nos tornarmos irresponsáveis, mas a prudência também não pode ser tão grande a ponto de nos tornarmos indolentes, omissos ou acomodados.

Maquiavel, no clássico *O Príncipe*, afirma: "Necessitando um príncipe, pois, saber bem empregar o animal, deve deste tomar como modelos a raposa e o leão, eis que este não se defende dos laços e aquela não tem defesa contra os lobos. É preciso, portanto, ser raposa para conhecer os laços e leão para aterrorizar os lobos."[4]

Maquiavel aconselhava o príncipe a fazer uso de suas características de tal modo que tivesse êxito na hora que precisasse ser mais prudente ou mais ousado. Há momentos para ser ousado como um leão ou prudente como uma raposa.

Todos nós conhecemos pessoas sem coragem de ir em frente, sem determinação para fazer render o que possuem, seja o próprio dinheiro ou talento (habilidade). E acabam enterrando tudo. É um desperdício total!

Você não deve se preocupar com quanto dinheiro tem, mas com sua capacidade de fazê-lo render, crescer e dar frutos. Contudo, se passar dos limites e for imprudente, a ousadia não justificará a falta de cuidado. Você deve buscar sabedoria e moderação para administrar essas virtudes.

INICIATIVA

"Os homens valentes obtêm a riqueza."
Provérbios 11:16b

Coragem também significa iniciativa. Quando o pequeno Davi enfrentou o gigante Golias, ele teve iniciativa, se apressou e o atacou primeiro; não ficou esperando ser atacado. Aquele que toma a iniciativa tem uma grande vantagem, como ensinam Al Ries e

Jack Trout em *As 22 consagradas leis do marketing*: "É melhor ser o primeiro do que ser o melhor."[5]

A valentia e o arrojo conquistam riquezas, mas à bondade se soma o respeito. É possível obter ambos. Você pode ser valente nas ideias e na execução, mas bondoso e gentil, ainda que precise ser firme com as pessoas. Diz o latim: *suaviter in modo, fortiter in re*, ou seja, "suave na forma, forte na essência".

RISCO CALCULADO

"Quem cava um poço cairá nele; quem derruba um muro será picado por uma cobra. Quem arranca pedras, com elas se ferirá; quem racha lenha se arrisca."
Eclesiastes 10:8-9

Como diz o Eclesiastes, cavar poços e romper muros é expor-se a perigos. Mesmo assim, quem busca o sucesso terá de correr esses riscos, desde que na hora certa e de forma calculada. As pessoas costumam dizer que "se você não quer aborrecimentos, não tenha um negócio". Ou seja, ter um negócio é garantia de problemas... mas pode ser que valha a pena ter esses problemas.

É essa a ideia quando a Bíblia alerta que uma pessoa que for arrancar pedras vai se ferir. Por outro lado, se você quer construir uma casa firme, ou um muro, ou uma ponte, é melhor trabalhar com pedras do que com palha ou areia.

Um desafio requer trabalho para ser superado. Se você tem um negócio, vai ter problemas; se pretende fazer um concurso ou uma faculdade, certamente terá "dor de cabeça". Se quer chegar a algum lugar, se deseja construir algo grande, terá que aprender a lidar com pedras. Vale lembrar da história dos Três Porquinhos, em que o único que ficou a salvo do Lobo Mau foi o que teve mais trabalho.

Quem racha lenha se arrisca, mas pode fazer uma fogueira. Quando lancei *Como passar em provas e concursos*, eu, William, me arrisquei. Ninguém queria publicá-lo, ninguém achava que ia vender. Mas decidi publicar porque confiava no meu livro. Acreditei e pedi a bênção de Deus. Tomei todos os cuidados, peguei dinheiro emprestado e o lancei. Ressalto que não foi um empréstimo irresponsável, mas com risco calculado. Até 2012, o livro já tinha vendido mais de 180 mil exemplares, o que me permitiu não só pagar o empréstimo como ter bons resultados financeiros e profissionais.

Em sua autobiografia, Eike Batista diz que a elite brasileira não tem a cultura do risco e que lhe falta ousadia. "Arriscar não é partir para um voo cego. É ter coragem para enfrentar obstáculos que certamente surgirão. Com previsibilidade e planejamento, o risco se torna oportunidade", explica.

Com outras palavras, o palestrante, pregador e empresário australiano Nick Vujicic, que nasceu sem os membros superiores e inferiores, também fala basicamente a mesma coisa em seu livro *Uma vida sem limites*. Ele diferencia os riscos ridículos (para os quais você se preparou) dos riscos estúpidos (que são simplesmente doidos demais e não merecem nem ser cogitados): "Você jamais deve se arriscar em alguma situação na qual tenha mais a perder do que a ganhar. O risco ridículo, contudo, é aproveitar uma oportunidade que parece mais louca do que realmente é."[6]

Se você quer melhorar de vida, vai ter que se arriscar. Senão, corre o risco de não ter nada. O que você prefere?

"A vida se expande ou se contrai de acordo com a nossa coragem."
Anaïs Nin

"A coragem nunca foi uma questão de músculos. Ela é uma questão de coração."
Gandhi

8

A Lei da Resiliência

"E ao que vencer, e guardar até ao fim as minhas obras, eu lhe darei poder sobre as nações."

Apocalipse 2:26

O verso em epígrafe diz que quem vencer grandes dificuldades receberá poder. Poder, sucesso, riqueza... tudo o que premia alguém vitorioso. É importante ressaltar que fizemos a citação fora de contexto, ou seja, o texto bíblico não está se referindo a questões profissionais, mas à fé e à salvação. Nós o usamos aqui apenas de forma figurada, pois até chegar à vitória existe um jogo a ser jogado, um trabalho a ser feito, riscos a correr.

A capacidade de superar as adversidades é inerente aos bons jogadores. No competitivo mercado de trabalho, o nível de empregabilidade de um profissional sobe na mesma proporção que seu Quociente de Adversidade (QA), expressão cunhada pelo economista e pesquisador americano Paul Stoltz, que entrevistou mais de 100 mil pessoas com o objetivo de descobrir por que algumas subiam na vida e outras não.

Mais significativo que o frio e racional QI (Quociente de Inteligência) e mais eficaz que a avaliação psicológica do QE (Quociente Emocional), o QA (Quociente de Adversidade) explica por que a persistência pode ter mais valor do que o talento.

Com base em seu estudo, Stoltz dividiu as pessoas em três grupos profissionais: os que escalam, os que desistem e os que acampam. Escaladores são todos os que procuram desafios e que se recusam a ser insignificantes. Já os desistentes odeiam riscos e buscam segurança. O terceiro tipo é formado pelos que acampam, um grupo intermediário entre os escaladores e os desistentes. São pessoas que "vestem a camisa", mas nem tanto. Em caso de risco, costumam ficar em cima do muro.

Essa classificação foi criada com base na forma como as pessoas lidam com os desafios. Quem tem maior nível de QA não culpa os outros pelos problemas que surgem, sabe assumir a responsabilidade por suas decisões, não vê os contratempos como obstáculos e reconhece que as adversidades ocorrem por força das circunstâncias, não têm caráter pessoal.

A Lei da Resiliência trata exatamente da capacidade de enfrentar as adversidades.

Possuir resiliência é conseguir resistir à pressão. O termo tem origem na física e corresponde à propriedade que alguns corpos têm de retornar à sua forma original após terem sido submetidos a estresse. Pode ser ilustrado como quando alguém pisa em um tapete felpudo, que é amassado e, logo depois, volta ao seu estado natural. O termo passou a ser usado também pela psicologia, significando uma tomada de decisão entre a tensão gerada por um ambiente adverso e a vontade de vencer.

Para ser aprovado em algum exame de seleção, por exemplo, é preciso ser perseverante e resiliente, a fim de vencer as adversidades. Muitos que possuem maior capacidade e possibilidade de aprendizado deixam de tentar outras vezes e não logram êxito. Há uma máxima que diz que "para passar em uma prova não se deve estudar para passar, mas estudar até passar". A perseverança, nesses casos, é mais importante que o potencial financeiro e a inteligência.

Saber enfrentar as dificuldades é uma habilidade que pode ser desenvolvida. E mais uma vez temos bons exemplos na Bíblia. O rei Davi declarou: "Ainda que eu andasse pelo vale da sombra da

poeta e filósofo Horácio, "a adversidade tem o efeito de despertar talentos, os quais, em circunstâncias favoráveis, permaneceriam adormecidos".

Nós, William e Rubens, construímos nossas trajetórias sobre derrotas. Tudo o que conquistamos foi com esforço. Nosso espírito empreendedor nos fez lidar com dificuldades cada vez maiores, mas sem nunca desistir. Sempre procuramos ver onde erramos e, em seguida, tentamos novamente, buscando não cometer o mesmo erro. Podemos até falhar de novo, mas por um motivo diferente. Como diz Warren Buffett, o problema não é errar, é insistir no erro: "Eu não tenho nenhum problema em fazer negócios com alguém que já foi à falência. Mas jamais farei negócios com alguém que foi à falência duas vezes pelo mesmo motivo."

Ao longo da nossa jornada, descobrimos as lições de William E. Deming, que fala sobre o Ciclo PDCA (*Plan-Do-Check-Action*), ou seja, o ciclo no qual você planeja, faz, checa os resultados e providencia uma ação corretiva na próxima tentativa, se a primeira tiver falhado. Isso realmente funciona!

Eis o sistema: ter um plano, tentar; se errar, pesquisar onde houve erro e tentar novamente, de um modo melhor. A Programação Neurolinguística (PNL) ensina que temos de saber o que queremos, atentar ao que está acontecendo (os resultados que estamos obtendo) e ser flexíveis para mudar até acertar. Flexibilidade é um outro nome para a humildade. É a mesma lição do Ciclo PDCA, só que em outras palavras.

Não importa o número de reveses e insucessos que tenha sofrido ao longo da jornada, você nunca será um perdedor ou fracassado se mantiver seu sonho, sua atitude, sua disposição de aprender com o erro e tentar de novo. Foi assim que chegamos ao sucesso. É preciso traçar estratégias para vencer os obstáculos. Uma hora, mais cedo do que imagina, você aprende tudo o que é preciso para realizar o seu sonho.

Não se fie nas pessoas que criticam seus fracassos ou que dizem que você nunca irá conseguir. São pessoas negativas e, mesmo que tenham boas intenções, mesmo que estejam querendo poupá-lo de uma frustração caso não seja vitorioso, não são boas companhias, ou, pelo menos, não são bons conselheiros para se ouvir. Você precisa se cercar de pessoas que sonhem junto e alto, ou que, pelo menos, não atrapalhem sua caminhada. Se alguém critica e dá argumentos, avalie friamente o que está sendo dito, mas fuja de quem é só pessimista.

Tenha em mente que os frutos que você vai colher de suas conquistas pagarão com folga toda a frustração temporária que as derrotas podem trazer. E sempre que enfrentar problemas ou crises, pergunte a si mesmo: o que essa situação está tentando me ensinar?

"Os grandes navegadores devem sua reputação aos temporais e tempestades."
Epicuro

"Se você quer o arco-íris, precisa providenciar a chuva."
Dolly Parton

9

A Lei da Alegria

"Fazei todas as coisas sem murmurações nem contendas."
Filipenses 2:14

Quem gasta seu tempo com queixas e murmurações perde os ganhos e não conhece os efeitos maravilhosos da Lei da Alegria. A Bíblia chega a mencionar expressamente "Regozijai-vos sempre" e, também, "Em tudo dai graças" (1 Tessalonicenses 5:16-18 e Filipenses 4:4). Obviamente, quem dá graças a tudo e sempre se alegra não pode ser alguém que fica se queixando.

Há pessoas que passam a vida reclamando do que lhes aconteceu: o que faltou, o que não deu certo, quem lhe traiu e assim por diante. São pessoas incapazes de colocar o carimbo de "caso encerrado" em seu passado, que não conseguem aprender com os erros e derrotas e seguir em frente. É como se diz: se a vida nos dá um limão devemos fazer uma limonada.

Veja o que a Reverenda Elena Alves Silva, da Universidade Metodista, conta sobre Ester, rainha da Pérsia:

> "Há uma história na Bíblia que narra a vida de Ester. Essa moça foi criada por seu tio, depois da morte de seus pais. Fazia parte do povo judeu e vivia a experiência de ter sido tirada de sua terra e viver em terra estrangeira. No reino da Pérsia a mulher

não tinha valor nenhum aos olhos do rei e dos seus súditos. Ester foi elevada ao trono para substituir Vasti, antiga rainha, punida com rigor por não atender a um chamado do rei, desobedecendo suas ordens.

Apesar de todas as circunstâncias adversas na vida de Ester e de sua família, da realidade em que vivia e dos desafios de estar ao lado de um rei que a escolheu apenas por sua beleza, ela adquiriu papel central nesta história do povo judeu, como heroína e libertadora.

Os judeus foram ameaçados de morte e envolvidos numa intriga promovida por Hamã, principal dos príncipes do rei Assuero, que queria vê-los inclinados e prostrados diante dele. Ester interveio junto ao rei e garantiu que a intriga fosse esclarecida. Sua ousadia fez diferença, pois, ao deixar toda experiência negativa de sua trajetória de lado, ela se colocou como forte e guerreira. O final da história é a vitória comemorada com uma grande festa, tradicional ainda hoje entre os judeus, chamada Purim – ou dia de sorte.

Da história de Ester e de tantas outras mulheres fortes na Bíblia, podemos tirar uma lição: não adianta ficar reclamando do que fizeram de nós, nem mesmo do que a vida proporcionou ou condicionou a cada uma e cada um de nós; importa é saber que no lugar onde estamos podemos fazer diferença. Ou ainda, como dizia Sartre: 'Eu posso não ser responsável pelo que fizeram de mim, mas sou responsável pelo que eu faço com aquilo que fizeram de mim.'"[8]

Outra história fantástica é a do José, filho de Jacó. Vítima da inveja de seus irmãos, José chega a ser vendido como escravo e é levado ao Egito. Ele vai parar na casa de um homem rico chamado Potifar, onde cresce, trabalha e se torna uma pessoa de confiança. Mas a mulher de Potifar quer ter um caso com ele e, quando José a rejeita por lealdade ao chefe, acaba sendo preso injustamente.

Não há notícia de que José tenha se queixado desses infortúnios. Na cadeia, ele continua agindo de forma correta e ajuda várias pessoas. Passado um bom tempo, ele é liberto e se torna o primeiro-ministro do Egito ao interpretar um sonho do Faraó e prever um período de sete anos de fome e escassez. Sua história está no livro do Gênesis, a partir do Capítulo 37, e é um excelente caso de sucesso profissional.

Fala-se que quando Deus não muda as circunstâncias é porque Ele quer mudar você. José do Egito foi vítima de várias injustiças e intrigas, mas sempre manteve um comportamento ético de trabalhar bem e ajudar a quem pudesse. A cada capítulo de sua vida ele ia agregando conhecimento, experiência e deixando registros positivos. Em vez de reclamar, ele agia; em lugar de lamentar, aprendia. Sua história mudou por causa da bênção de Deus, mas também por sua forma de reagir.

Todos sabemos quão irritante é ter que conviver com um profissional "reclamão". Evite ser você essa companhia desagradável.

"Comece fazendo o que é necessário, depois o que é possível e, de repente, você estará fazendo o impossível."

Francisco de Assis

10
A Lei da Recarga

"Seis dias trabalharás, e ao sétimo dia descansarás; para que descanse o teu boi e o teu jumento, e para que se refrigere o filho da tua escrava e o peregrino."

Êxodo 23:12

A boa aplicação dos princípios da recarga, do lazer e da recuperação aumenta tremendamente sua energia emocional e física para o trabalho. Um dos mais importantes meios para criar bem-estar e aumentar a produtividade está recomendado na Bíblia, mas é visto como "proibição", em vez de conselho útil. É a guarda do dia de descanso, prevista nos Dez Mandamentos.

Em *O ócio criativo*, o sociólogo italiano Domenico De Masi aborda um revolucionário conceito de trabalho que agrupa estudo, trabalho e jogo (espaço lúdico). Ter a mente livre para pensar favorece o surgimento de boas ideias. Lazer, convivência e brincadeiras, como afirma De Masi, evitam a mecanização do trabalho.

A Medicina e o Direito do Trabalho também propõem o descanso semanal remunerado. Não acreditamos que empresas e empresários tenham aceitado esse dia de repouso apenas por causa das pressões dos trabalhadores, mas sim porque diminui o absenteísmo e aumenta a produtividade.

Pois bem, quem deu essa ideia, há milênios, foi o criador da máquina humana, alguém que sabe muito bem como ela pode funcionar melhor. Nos Dez Mandamentos, fica determinado que, após seis dias de trabalho, um deve ser de descanso. O que parece uma ordem, uma proibição, na verdade é um favor, uma libertação. Isso foi estabelecido de modo que os homens pouco evoluídos pudessem cumprir e que os homens cultos e evoluídos pudessem compreender e seguir, ambos colhendo os benefícios dessa prática.

Em Levítico 25:20, vemos a regra do descanso da terra. Seis anos de produção e um ano de descanso. Até para fins de produtividade agrícola se aplica a ideia da recarga, recuperação ou reabastecimento, o *shabat*.

Shabat é um termo em hebraico e se refere ao sétimo dia da semana, dedicado – no judaísmo – ao descanso (Êxodo 20:8-11 e 23:12). Ele é um desafio a quebrarmos a rotina e um momento de recuperação física e emocional em que a pessoa aproveita a vida, a família e se dedica a atividades diferentes das que exerce durante a semana de trabalho.

Sem quebra na rotina, o ser humano surtará cedo ou tarde, ou terá crescente diminuição em seu rendimento e na sua motivação. A ideia é simples: você trabalha seis dias e descansa um. É claro que existem muitos que, além de trabalharem durante seis dias, ainda trabalham no sétimo porque querem melhorar de vida. Quando isso deixa de ser exceção e vira regra, não funciona.

A proposta da Bíblia é que você trabalhe muito, mas sem desespero, que descanse, mas sem indolência ou irresponsabilidade. Que tenha uma vida equilibrada e serena. Para isso, uma das tranquilidades oferecidas é: Deus trabalha no turno da noite. Enquanto você dorme, Deus e a natureza agem: "Ele supre aos seus amados enquanto dormem" (Salmos 127:2b). Ou seja, a natureza irá agir se você não se opuser a ela.

Pelas leis da natureza (leis da física, biologia, fisiologia), quando a pessoa tem um bom sono, ela se recupera e isso ajuda a alcançar seus objetivos ao acordar. Então, seja acreditando nas leis biológicas ou, como nós, crendo em quem as formulou (Deus), você será beneficiado. A única coisa que não deveria acontecer é você não seguir as leis físicas, tentando ser mais produtivo sem dar pausas na sua rotina.

É durante o sono que os músculos se recuperam e que o cérebro fixa aquilo que você aprendeu durante o dia. Não dormir o mínimo necessário é destruir seu desempenho.

De acordo com a reportagem "Dormir para aprender", da revista *Veja*, Albert Einstein (1879-1955) dormia dez horas por noite e dormia mais uma quando tinha uma ideia nova. Leonardo da Vinci (1452-1519) acordava cedo, mas reservava 15 minutos a cada duas horas para uma soneca. Assim, encarava os seus desafios com a mente descansada.[9]

Ao dar palestras pelo Brasil, sempre falamos sobre a importância do "dia de descanso". Nos últimos tempos, recebemos diversos e-mails de pessoas que seguiram esse conselho como se fosse uma orientação técnica, e a reação foi positiva, já que muitos descobriram como se tornar mais produtivos fazendo essa parada semanal. Com energias recarregadas, eles conseguiram melhorar seu desempenho, ao contrário dos que se matam de trabalhar e "queimam a vela dos dois lados". Não sobra nada.

Quando falamos na Lei da Recarga, nos referimos a um dia de descanso durante a semana, qualquer que seja ele. Um dia em que você se desliga de todos os seus compromissos rotineiros e realiza coisas diferentes. É o dia em que os religiosos vão à igreja, mas também é o dia do almoço com os pais, ou de visitar um amigo ou parente. É o dia em que você não liga o computador, ou não frequenta os lugares de sempre. É o dia do cinema, ou do passeio pela praia ou parque. É o dia em que você faz coisas "inúteis", ou tolas, mas que lhe dão prazer. É, de fato, um dia que tem tudo para ser delicioso.

Se você vive se sentindo culpado porque nunca vê seus filhos, ou não visita seus pais, ou não dá atenção a alguém que ama, a Lei da Recarga é uma forma de evitar isso. Você pode aproveitar seu dia livre para ficar com os filhos, ou honrar pai e mãe com sua companhia (que é o que eles mais querem) ou cuidar de seu casamento.

Ter um bom *shabat* nem sempre é fácil. É preciso muita disciplina para ter um dia sem disciplina! Na nossa experiência, o mais difícil é se desligar mentalmente. Esvaziar a cabeça do trabalho e dos negócios, da prova ou das preocupações diárias, é um desafio hercúleo, ciclópico, imenso. É relativamente fácil a disciplina de não trabalhar, não ler matéria, não ligar o computador. Mas, ao menos para nós, parece bem difícil não ficar pensando nessas coisas. Se este desafio for vencido, o descanso será melhor ainda, e a recuperação e o aumento de desempenho serão excepcionais.

FORMAS DE REALIZAR A RECARGA

O *shabat* é um conceito semanal, mas que pode e deve ser aplicado em outros "blocos" de tempo:

- **Uma vez por dia,** nem que sejam meros 5, 10 ou 15 minutos, pare e se acalme. Respire fundo, ouça uma música, olhe a paisagem pela janela, aprecie um quadro ou uma foto bem bonitos. Pense na sua vida, seja grato por tudo o que já viveu e aprendeu, pelo que tem. Lembre-se das coisas boas que lhe acontecem todos os dias, ou de algum momento especial da sua existência.
- **Duas a três vezes por semana,** faça alguma atividade física. Você pode andar com seu cônjuge ou com um amigo, correr ouvindo as músicas de que mais gosta, ou se exercitar na bicicleta ergométrica lendo sobre o assunto que precisa aprender. A atividade física libera endorfina, que é um estimulante e antidepressivo natural, faz bem ao corpo e à alma, e melhora o humor. Também evita obesidade, ataques cardíacos e derrames. Você pode fazer exercícios no dia de descanso, mas o ideal é que faça atividades mais de uma vez por semana.
- **Uma vez por mês,** tenha um dia diferente. Você provavelmente usará seu dia de descanso semanal. Não tem pro-

blema, o importante é sair da rotina. Vá a algum lugar que nunca foi, visite uma atração turística perto de você, invente alguma coisa. Nós, William e Rubens, moramos na Região Metropolitana do Rio de Janeiro e achamos impressionante o número de cariocas que nunca foram ao bondinho do Pão de Açúcar, ou ao Corcovado, ao Planetário da Gávea ou ao Zoológico da cidade. São programas simples, baratos e que podem se transformar em momentos mágicos e muito especiais para você e para quem estiver ao seu lado. As melhores coisas da vida costumam ser assim: simples.

- **Uma vez por ano,** nas suas férias, no Carnaval ou na Semana Santa, invente mais um pouco, viaje. Se você já conseguiu juntar algum dinheiro, claro que pode programar aquela viagem a Bora Bora. Se ainda não tem, curta o que estiver dentro das suas possibilidades. Muitas pessoas deixam de aproveitar o que possuem, ou de chegar aonde podem, porque ficam pensando no que não têm. Seja criativo e invente algum programa interessante. Outras pessoas usam a viagem a Bora Bora, ou a Paris, como motivação para estudar e/ou trabalhar. É um tipo de visão que funciona muito bem, e quando você finalmente vai lá, e conhece o lugar, é muito recompensador e gratificante. Experimente também reservar alguns dias para ficar em casa. Às vezes não ter que fazer nada é o melhor programa.

"Marcha com o pé direito para as tuas obrigações,
e com o pé esquerdo para os teus prazeres."
Pitágoras

"A simplicidade é o último grau de sofisticação."
Leonardo Da Vinci

morte, não temeria mal algum, porque tu estás comigo; a tua vara e o teu cajado me consolam" (Salmos 23:4). Seja o vale um problema de qualquer dimensão, o ensino bíblico sempre dirá para você ter ânimo, coragem, perseverança, confiança, visão de possibilidade, de superação e de esperança. Davi era um grande escalador: enfrentou um urso, um leão e um gigante. Tinha fé que venceria os obstáculos. Inspire-se nele para vencer as dificuldades.

APRENDENDO COM OS PRÓPRIOS ERROS

"Meus irmãos, tende por motivo de grande gozo o passardes por várias provações, sabendo que a aprovação da vossa fé produz a perseverança; e a perseverança tenha a sua obra perfeita, para que sejais perfeitos e completos, não faltando em coisa alguma."

Tiago 1:2-4

Diante de problemas e adversidades, todos nós podemos sofrer reveses, fracassos e insucessos. Isso faz parte do jogo da vida. Nem todas as derrotas são fruto necessariamente de erros que cometemos, mas sempre devemos analisar se poderíamos ter feito algo diferente para obter a vitória e como podemos nos preparar melhor para o futuro. É importante ficarmos atentos às aceleradas mudanças decorrentes da tecnologia, da globalização etc.

Ao falharem, alguns murmuram, outros aprendem. Como diz o consultor Claus Möller, autor de *O lado humano da qualidade*, "quando sopram os ventos da mudança, alguns constroem abrigos e se sentem seguros; outros constroem moinhos e ficam ricos".[7] A coragem para enfrentar os problemas e aprender com eles é uma das formas de nos tornarmos mais competentes.

Crises, derrotas e acidentes são parte do processo de crescimento de qualquer empresa ou pessoa. Não devemos nos desesperar diante dessas situações, e sim aprender com elas. Como disse o

11

A Lei da Autocontratação

"A multidão dos homens apregoa a sua própria bondade, porém o homem fidedigno quem o achará?"
Provérbios 20:6

Vamos começar com um teste: você se contrataria para ser seu empregado? Gostaria de ser sócio de alguém igual a você? Você se conhece a fundo, sabe da sua competência e dedicação, dos seus pontos fracos e fortes. Então reflita se gostaria de ter você como funcionário, chefe ou sócio. Esta é a Lei da Autocontratação.

Não dê uma resposta rápida nem "oficial". Pense bem, seja sincero e honesto consigo mesmo e responda. Se você não se contrataria, por que acha que alguém deveria fazê-lo? Ou você acha que se for trabalhar com alguém o tempo não irá revelar suas qualidades e defeitos?

Há muitas pessoas que ficam direto vendo televisão, ou em redes sociais, ou em salas de bate-papo. Uma pesquisa indicou que quanto mais alto o nível de um executivo em uma empresa, menos tempo ele gasta assistindo à televisão. Isso é fácil de entender, pois chegar a uma posição de destaque requer dedicação e preparo. Alcançar o êxito é difícil e manter-se no topo, mais trabalhoso ainda. Você tem o grau de dedicação e o equilíbrio que justificam sua contratação?

Às vezes alguém consegue uma oportunidade e não a aproveita. Acontece de recomendarmos pessoas para um emprego e, posteriormente, percebermos que a chance de trabalhar (ou de voltar a trabalhar) não durou muito. A pessoa consegue a vaga, mas não trabalha corretamente, é preguiçosa, incompetente, antipática ou até desonesta. E, claro, perde o emprego. Nós, por outro lado, ficamos frustrados e em uma situação desconfortável com quem confiou em nossa indicação.

Não adianta você ser apresentado por alguém, conseguir um emprego e não ser um bom profissional. Na verdade, a melhor apresentação de uma pessoa e de seu trabalho quem faz é ela mesma.

Eu, William, me lembro de quando era professor da Universidade Federal Fluminense (UFF-RJ). Os salários eram baixos, o clima era de desestímulo e havia uma queda de rendimento generalizada, com muitas faltas e atrasos dos professores. Mas eu ia e cumpria meu dever. Chegava e saía na hora certa, dava uma boa aula, era exigente nas provas. E acabei lecionando para o dono de uma universidade particular que, vendo meu trabalho, me convidou para ganhar mais, sendo professor na universidade dele. Assim, deixei meu emprego na UFF e fui para uma universidade particular. Obtive um grande progresso profissional e salarial porque estava fazendo o meu trabalho direito.

Ao trabalhar da forma certa, você tem mais chances de manter seu emprego ou de conseguir outro melhor. Sendo um bom profissional, surgirão novas oportunidades e você terá a opção de escolher a melhor.

Há anos observamos e buscamos entender como funciona a empregabilidade e a forma de ganhar dinheiro. Sempre achamos estranho o fato de empregadores procurarem profissionais no mercado e dizerem que está difícil achá-los, ao mesmo tempo que pessoas desempregadas se queixam da dificuldade de encontrar trabalho. Ora, deve haver alguma coisa errada! Como é que os donos das empresas estão reclamando que faltam bons funcionários e os funcionários estão reclamando que faltam bons empregos? Sabe o que está errado? Falta gente capacitada no mercado. No momento, o Brasil sofre ainda com falta de mão de obra qualificada, precisando "importar" trabalhadores especializados de outros países.

Repetimos: se você for uma pessoa preparada ou se estiver se preparando, e se for confiável e trabalhador, estamos certos de que terá boas oportunidades. As empresas precisam cada vez mais de profissionais corretos, honestos, produtivos, comprometidos, assertivos... Ao reunir o maior número de boas qualidades, mais procurado você será.

Cabe lembrar que não basta colocar essas características em seu currículo, ou mesmo afirmar possuí-las em uma entrevista. Será necessário que os outros lhe atribuam essas qualidades. A obtenção de credibilidade e reconhecimento público leva tempo e, muitas vezes, é preciso superar situações difíceis e humilhantes.

Talvez você ache que estamos exagerando e que é impossível reunir tantas qualificações, mas pense bem se você não ia querer alguém assim se estivesse contratando. A partir de agora, seu desafio é se tornar alguém que você contrataria. Quanto mais você for diferente da média (para melhor, claro!), maiores serão suas chances de sucesso. Portanto, aja!

"Disciplina é a ponte que liga nossos sonhos às nossas realizações."
Pat Tillman

12

A Lei da Honestidade

"Não furtarás."

Exôdo 20:15 e Deuteronômio 5:19

A integridade tem várias dimensões, mas nada melhor para resumi-la do que a honestidade. Ela é um dos três pilares básicos do sucesso, junto com a sabedoria/competência e a energia/disposição. Ser honesto envolve várias atitudes e comportamentos, e abordamos esse princípio de muitos ângulos diferentes neste livro.

Para ser honesto não se pode ser "escravo do dinheiro". Quem é escravo do dinheiro acaba fazendo maus negócios. Como juiz federal, eu, William, estou cansado de condenar pessoas que tentaram ganhar dinheiro de forma fácil e indevida, se envolveram com estelionato, com fraude, e hoje estão na cadeia.

O dinheiro que traz prosperidade é aquele oriundo do trabalho, pois traz junto o reconhecimento dos que estão ao redor. O que vem de forma ilícita é, por si só, o delator de quem o possui, seja por rastreamento feito pelos órgãos competentes – como o Poder Judiciário, o Ministério Público, a Receita Federal, o Banco Central, as polícias etc. –, seja pela percepção da própria sociedade que julga o padrão de comportamento de seus integrantes.

Os Dez Mandamentos, por exemplo, são claros ao recomendar o básico nesta questão econômica: não furte, não minta, não cobice. Em vez de ficar cobiçando o que é dos outros, vá resolver sua própria vida.

Existem algumas dicas para você verificar se está sendo honesto:

1. O que você está fazendo fere as leis do país?
2. O que você está fazendo pode ser filmado ou publicado sem que isso lhe cause vergonha ou um processo criminal?
3. Se os outros fizessem o mesmo com você, você ficaria satisfeito?
4. Você faria isso com alguém que você ama?
5. Alguém está sendo prejudicado ou defraudado? (Ou seja, submetido a perda exagerada enquanto você obtém lucro exagerado?)

Se o que você estiver fazendo, ou negociando, passar pelos testes acima, parabéns, pode continuar. Se não, cuidado, pois existe uma lei espiritual inexorável, a de que tudo o que fazemos volta para nós. E se alguma coisa der errado, não adianta colocar a culpa em Deus, no diabo, na tentação ou no governo. Cada um deve assumir a responsabilidade por seus atos e escolhas, pois este é mais um dos princípios do sucesso.

A questão da honestidade é tão séria que a Bíblia não deixa espaço sequer para condutas permitidas em lei, caso oprimam os outros. Veja o que está escrito em Isaías 10:1-2: "Ai daqueles que fazem leis injustas, que escrevem decretos opressores, para privar os pobres dos seus direitos e da justiça os oprimidos do meu povo, fazendo das viúvas sua presa e roubando dos órfãos!"

Você já ouviu dizer que, se o canalha soubesse o valor de ser honesto, ele seria honesto por canalhice? O primeiro beneficiado por sua honestidade é você mesmo.

Warren Buffett aconselha: "Ao procurar alguém para contratar, você procura três qualidades: integridade, inteligência e energia. A mais importante é a integridade, porque sem ela as duas outras qualidades, inteligência e energia, acabarão com você."[10] Sempre dissemos isso com outras palavras: para ter sucesso é preciso o conjunto de competência, trabalho e honestidade.

Para os que acreditam que a desonestidade compensa, vale a pena ver o ranking 2011 dos países mais e menos corruptos do mundo divulgados pela ONG Transparência Internacional.[11] O índice é composto por 180 países e mostra a percepção do grau de corrupção por empresários e analistas, e vai de zero (considerado o máximo da corrupção) a 10 (máximo de honestidade). Seguem os dez mais e os dez menos corruptos:

Mais Corruptos

1º	Somália	1,0
2º	Coreia do Norte	1,0
3º	Mianmar	1,5
4º	Afeganistão	1,5
5º	Uzbequistão	1,6
6º	Turcomenistão	1,6
7º	Sudão	1,6
8º	Iraque	1,8
9º	Haiti	1,8
10º	Venezuela	1,9

Menos Corruptos

1º	Nova Zelândia	9,5
2º	Dinamarca	9,4
3º	Finlândia	9,4
4º	Suécia	9,3
5º	Cingapura	9,2
6º	Noruega	9,0
7º	Holanda	8,9
8º	Austrália	8,8
9º	Suíça	8,8
10º	Canadá	8,7

O Brasil está em 73º lugar, com 3,8 pontos no ranking mundial.

Não é preciso raciocinar muito para perceber que os países mais desenvolvidos e com maior qualidade de vida são os mais honestos. Alguém pode alegar que nesses países as pessoas não precisam cometer fraudes nem roubar. Nosso ponto de vista é que uma das razões por que eles são desenvolvidos é justamente a baixa corrupção. Ou seja, a honestidade não é consequência, e sim uma das causas do desenvolvimento. O índice de corrupção no Brasil ainda é muito elevado, e esse é um dos motivos de nosso baixo desenvolvimento. Imagine aonde chegaríamos se mudássemos da cultura do "jeitinho" e de "levar vantagem em tudo" para a da correção, do trabalho e da honestidade?

O MAIS ALTO GRAU DE HONESTIDADE

"Não defraudando, antes mostrando toda a boa lealdade."
Tito 2:10

"Ouçam, vocês que pisam os pobres e arruínam os necessitados da terra, dizendo: 'Quando acabará a lua nova para que vendamos o cereal? E quando terminará o sábado para que comercializemos o trigo, diminuindo a medida, aumentando o preço, enganando com balanças desonestas e comprando o pobre com prata e o necessitado por um par de sandálias, vendendo até palha com o trigo?'"
Amós 8:4-6

Existem degraus de honestidade e de desonestidade. Em um primeiro plano, ser honesto equivale a respeitar as leis e cumprir seus contratos. Porém, existem patamares mais elevados. A Bíblia fala para não defraudarmos ninguém e este é um degrau acima na aplicação da Lei da Honestidade.

Defraudar alguém significa abusar dessa pessoa, aproveitando-se de sua fraqueza, ingenuidade ou posição de inferioridade. Vivemos em um mundo onde muitos dizem que você deve "se dar bem" ou ter o maior lucro possível.

Nos textos bíblicos citados, há desonestidade explícita, com a diminuição das medidas, balanças adulteradas e mistura de materiais (colocar palha junto do trigo). Mas existe também um outro ponto: sonegar o produto para encarecê-lo, inflacionar preços e se valer da necessidade que as pessoas têm de fazer "bons" negócios. Tais práticas, como ressalta a Bíblia, afetam negativamente a imagem de quem as adota: "O povo amaldiçoa aquele que esconde o trigo, mas a bênção coroa aquele que logo se dispõe a vendê-lo" (Provérbios 11:26).

Às vezes lidamos com a desonestidade pura e simples, mas também podemos nos defrontar com situações nebulosas em que se pode encontrar argumentos para prejudicar os outros, como se fosse apenas uma regra contratual ou um azar da outra pessoa. Quando surgem essas áreas cinzentas, estamos diante de um cenário que não é fácil.

Vamos dar um exemplo: um funcionário de uma empresa de manutenção manda, por engano, um orçamento totalmente equivocado. O cliente sabe que ele veio errado, mas, em vez de permitir que a correção seja feita, exige "seus direitos". Legalmente, ele está correto, mas não perante o conceito de "não defraudar". Quem se aproveita da necessidade ou do desespero de alguém para emprestar dinheiro a juros escorchantes ou comprar alguma coisa por preço vil também está indo contra este princípio.

O que estamos dizendo aqui é que não basta cumprir os contratos e as leis. É preciso não se aproveitar da situação para ter lucro excessivo, como alerta o texto bíblico: "Ai daquele que edifica a sua casa com injustiça, e os seus aposentos sem direito, que se serve do próximo, e não lhe dá o salário do seu trabalho" (Jeremias 22:13).

Ao agir com correção, provavelmente você ganhará menos dinheiro de imediato, mas o que obterá de respeitabilidade e prestígio certamente compensará. Eike Batista, um dos homens mais ricos do mundo, diz que a palavra empenhada foi sempre aspecto da maior relevância em cada negócio que realizou: "Quando fiz negócio com os chineses da Wuhan, em 2009, o preço da ação da MMX teve seu valor dobrado entre o período de negociação e a efetiva assinatura do contrato. Não fez diferença para mim. Mantive a palavra, fechei o acordo nas condições originalmente fixadas e estou certo de que conquistei respeito e confiança eternos de meus parceiros."[12]

Portanto, se houver uma situação em que você não tem certeza sobre o certo a fazer, o melhor é agir da forma mais digna possível. Se você tiver que parecer "bobo" ou "esperto", escolha parecer "bobo".

Um bom indicativo de que algo é desonesto é se "parece esquisito". Se parece, tem boa chance de ser. E, sendo ou não, vale o conselho dado pelo apóstolo Paulo: "Abstende-vos de toda a aparência do mal" (1 Tessalonicenses 5:22). Evitar procedimentos duvidosos o livrará de muitos problemas.

A FORÇA DA PALAVRA

"Seja, porém, o vosso falar: 'Sim, sim; Não, não'; porque o que passa disto é de procedência maligna."
Mateus 5:37

Honestidade inclui cumprir a palavra empenhada e falar a verdade, o que repercutirá na sua credibilidade. Jesus diz que nossa palavra deve ser "Sim, sim", "Não, não", ou seja, para não usarmos desculpas nem subterfúgios. Como se diz popularmente, "mentira tem perna curta" e quando é descoberta descredencia quem a proferiu.

Muitas pessoas procuram se livrar de um erro, problema ou situação desconfortável com mentiras e falsidades, mas acabam pondo em risco sua reputação. A Bíblia trata dos efeitos nocivos desse comportamento: "Suave é ao homem o pão da mentira; mas depois a sua boca se enche de pedrinhas" (Provérbios 20:17).

A honestidade é um valor essencial para a sua vida, sendo fundamental para seus relacionamentos, sua imagem e sua carreira. Mantenha padrões elevados de honestidade, não defraude o próximo, não abuse do seu próximo: isso é dito por grandes financistas, por grandes estudiosos, por grandes filósofos. E também está na Bíblia.

"Interrogaram-no também uns soldados: E nós, que faremos? Disse-lhes: A ninguém queirais extorquir coisa alguma; nem deis denúncia falsa; e contentai-vos com o vosso soldo."

Lucas 3:14

13

A Lei do Nome

"O bom nome vale mais do que muitas riquezas."

Provérbios 22:1

Seu nome é seu maior patrimônio profissional. Por isso, a Lei do Nome é uma das mais importantes para a construção de uma carreira ou empresa de sucesso.

Sempre há quem esteja disposto a abrir mão de princípios e valores para conseguir sucesso e bens materiais. Em nossa opinião, essa troca não vale a pena. "O bom nome vale mais do que muitas riquezas", como diz Salomão. É neste princípio que nos baseamos para chamar atenção de que seu nome (sua credibilidade, respeitabilidade etc.) é o referencial mais importante para a sua carreira. O nome pode carregar, ou não, dignidade, alto valor agregado e diferenciais positivos. Dizemos isso com conhecimento de causa, pois, ao longo da nossa trajetória, observamos que aqueles que sacrificam sua honra pessoal, sua integridade e sua honestidade para conseguir ascensão rápida pagam, depois, um preço muito alto. Alguns, de fato, conseguem resultados substanciais, mas ou por pouco tempo ou a um custo não recomendável.

"O tempo se vinga de tudo o que é feito sem sua colaboração", já dizia o jurista Eduardo Couture. O transcurso do tempo faz a verdade de um nome – e do caráter de uma pessoa – ser revelada. Basta aguardar. Abraham Lincoln também batia na mesma tecla: "Você pode enganar uma pessoa por muito tempo; algumas por algum tempo. Mas não consegue enganar todas as pessoas por todo o tempo."

A Bíblia, por sua vez, afirma que "nada há encoberto que não venha a ser revelado; e oculto que não venha a ser conhecido" (Lucas 12:2). Logo, não pense que você vai longe sem preencher o requisito do bom nome ou que conseguirá 100% de sucesso em esconder alguma coisa errada que tenha feito para subir.

A Lei do Nome, quando aplicada às empresas, pode ser chamada também de Lei da Marca ou do *Branding*, conceito que Adilson Romualdo Neves, autor de *Qualidade no atendimento*, traduz como o processo de medir a percepção que os consumidores têm sobre um produto ou serviço. Em um artigo publicado recentemente pelo Instituto Jetro, de liderança cristã e consultoria organizacional, Adilson explica que o *branding* utiliza as ferramentas de marketing, administração, arquitetura, design, publicidade e propaganda, antropologia, psicologia, sociologia e de outras áreas para consolidar a marca perante a clientela. "É uma técnica de construção e administração de uma marca por meio de todos os pontos de contato afetivo vivenciados pelo usuário", diz ele, citando Jane Pavit, professora da Universidade de Princeton, para quem "*branding* é principalmente o processo de associar um nome e uma reputação a algo ou alguém".

Esses conceitos podem se aplicar às pessoas também e à construção de sua imagem perante a sociedade e aqueles que as cercam.

E SE EU JÁ ERREI?

"O que encobre as suas transgressões jamais prosperará; mas o que as confessa e deixa alcançará misericórdia."
Provérbios 28:13

O ideal é não fazer coisas erradas, mas sempre recomendamos às pessoas que, se já cometeram algum erro, devem repará-lo o mais rápido possível. Já vimos casos de profissionais que erraram, mas não ficaram esperando que o chefe descobrisse o problema. Foram lá e contaram o que tinha ocorrido. Essa atitude pesou a favor deles, angariando confiança e até evitando que fossem demitidos. Os chefes sabem que todo mundo erra, mas que lealdade e sinceridade são qualidades raras.

Da próxima vez que fechar algum negócio importante, lembre-se dos ensinamentos de Salomão sobre o valor do seu nome e você terá um norte para saber como se portar. Evite a ilusão de ganhar dinheiro fácil. Jamais engane os outros. Quem faz esse tipo de coisa, em geral, só faz uma vez, porque o tempo é senhor da verdade.

Entre homens honrados, a palavra é o que basta. Quando você chega a ter esse grau de credibilidade, com sua palavra valendo tanto ou mais do que um documento assinado, seu caminho profissional está pavimentado. Existe um grau de confiança que dispensa documentos e assinaturas. É bom negociar com cavalheiros. Na verdade, se a pessoa é honesta, assinar contrato é mera formalidade, mas quando ela não é confiável, nem mesmo o contrato garante muita coisa. De qualquer forma, o certo é colocar os acordos no papel: não deixe de fazer isso sempre que possível. Quando menos, entre pessoas de palavra, o papel serve para lembrar o que foi tratado e também permite que a família saiba o que tinha sido acertado, caso alguma das partes venha a falecer.

O bom nome exige honestidade, mas não é construído apenas com ela. Exige capricho, seriedade e zelo profissional. Cuide do seu nome, cumpra com sua palavra, não fale coisas sem pensar ou sobre as quais não tem conhecimento. Imagine um professor que começa a ensinar coisas erradas, sem pesquisa nem critério. Ele está destruindo seu maior patrimônio. O bom nome exige uma vigilância constante. Por outro lado, quando a pessoa desenvolve uma rotina de se comportar de forma a zelar por ele, isso vira um hábito construtor do sucesso. Funciona para quem é empregado, para quem é dono de empresa e para quem é profissional liberal.

"São precisos vinte anos para construir uma reputação e cinco minutos para perdê-la. Se você pensar nisso, fará as coisas de forma diferente."
Warren Buffett

14

A Lei do Farelo

"Não vos enganeis. As más companhias corrompem os bons costumes."
1 Coríntios 15:33

Vamos falar da Lei do Farelo. Demos esse nome porque resume bem o conceito que queremos apresentar. Nossa mãe já dizia que "quem com porcos anda, farelo come" ou, ainda, que "quem anda com morcego acorda de cabeça para baixo". Isso é uma verdade. É muito raro alguém andar em um grupo e, sendo minoria, influenciar mais do que é influenciado. Por isso também se diz popularmente: "Diga-me com quem andas e te direi quem és."

Talvez você esteja se perguntando por que essa lei não está junto com as que tratam da relação com o próximo. De fato, ela não estaria em lugar errado se lá se encontrasse, mas a pusemos aqui para realçar que suas companhias vão influenciar no seu comportamento, na sua integridade e na imagem que as pessoas terão de você. Mesmo que você não se deixe influenciar e não faça nada de errado, se andar com más companhias, será confundido com elas.

Portanto, se você quer crescer profissionalmente, precisa andar no meio das pessoas que sirvam de modelo para você ou, ao menos, que compartilhem seus sonhos.

Esta lei deve ser aplicada não só na escolha dos amigos, mas também dos parceiros de negócios. O já citado Warren Buffett, dono da Berkshire Hathaway, uma das empresas de investimentos mais respeitadas do mundo, ocupava em 2012 o terceiro lugar no ranking dos homens mais ricos do planeta da revista *Forbes*. Além disso, acumulava outro título impressionante, sendo considerado um dos maiores filantropos capitalistas da história da humanidade. Buffett, além de ter doado 40 bilhões de dólares para caridade, levou outros bilionários a fazerem doações, o que é muito meritório. Veja a advertência que este homem tão rico quanto inteligente faz: "Não se pode fazer bons negócios com pessoas ruins."

Não estamos diante de um conceito meramente religioso, nem de alguém falando de "infiéis". Estamos sendo aconselhados por um dos maiores investidores da história, que diz que devemos evitar fazer negócios com indivíduos desonestos ou ruins. Se alguém quer melhorar de vida, precisa criar vínculos com pessoas que gostam de trabalhar, que são íntegras e têm bom senso. Quando profissionais sérios e respeitáveis se reúnem, geram uma sinergia e um círculo virtuoso, fortalecendo-se mutuamente.

Daí, duas dicas:

1. Não faça sociedade com pessoas ruins.
2. Não seja a pessoa ruim com quem as boas não devem se associar!

EVITE A COMPANHIA DE PESSOAS RUINS

Mas isso não é discriminação?

Não. É o exercício das escolhas pessoais a que todos têm direito.

Claro que nada impede alguma convivência com pessoas por quem você tem afeto, mesmo que elas não estejam no rumo certo. Você pode até se esforçar para que essas pessoas mudem de vida e se juntem ao time dos que estudam, trabalham e seguem valores positivos. Mas lembre-se: cada um decide o que quer para si. Você não pode escolher pelos outros, pode escolher apenas para si mesmo.

Com amor e respeito, sem arrogância e/ou crueldade, você

pode aconselhar quem está trilhando uma estrada tortuosa. Como diz a Bíblia, "todavia se advertires o ímpio do seu caminho, para que ele se converta, e ele não se converter do seu caminho, morrerá ele na sua iniquidade; tu, porém, terás livrado a tua alma" (Ezequiel 33:9). Veja este outro trecho: "Exortamos vocês, irmãos, a que advirtam os ociosos, confortem os desanimados, auxiliem os fracos, sejam pacientes para com todos" (1 Tessalonicenses 5:14).

Evitar a companhia e a influência de pessoas complicadas é um princípio importante. Do mesmo modo, devemos buscar não ser um fardo para os outros e nos precaver contra aqueles que ficam confortáveis dependendo ou até explorando amigos, familiares e colegas de trabalho. São os famosos "vampiros", as pessoas que vivem "na aba" dos outros.

Atenção ao tentar ajudar pessoas "ruins" ou "más companhias", seja por razões emocionais ou humanitárias. Se perceber que está sendo influenciado mais do que influenciando, afaste-se. E, por favor, não confunda dar apoio com se misturar. Ajudar os outros é bom, mas nunca contrate alguém, ou faça sociedade com esse fim. Negócios e sociedades devem ser feitos de forma objetiva e inteligente. Se alguém está precisando de auxílio, não é o sócio nem o empregado ideal. Se for contratar, busque pessoas que vão contribuir para a empresa ou o negócio, não pessoas para serem ajudadas pela empresa ou negócio. Se você quiser fazer filantropia, ótimo: tenha um negócio saudável, com pessoas competentes e que vistam a camisa da empresa, ganhe dinheiro e, com ele, ajude os outros. Em suma, não misture as estações.

"Bem-aventurado o homem que não anda segundo o conselho dos ímpios, nem se detém no caminho dos pecadores, nem se assenta na roda dos escarnecedores; antes tem seu prazer na lei do Senhor, e na sua lei medita dia e noite. Pois será como a árvore plantada junto às correntes de águas, a qual dá o seu fruto na estação própria, e cuja folha não cai; e tudo quanto fizer prosperará."

Salmos 1:1-3

corpo e o reduzo à servidão, para que, pregando aos outros, eu mesmo não venha de alguma maneira a ficar reprovado" (1 Coríntios 9:24-27).

Para alcançar o sonho, a meta, a vitória, é preciso:

a. correr como um vencedor ("de tal maneira que o alcanceis");
b. fazer sacrifícios ("de tudo se abstém");
c. ter fé e confiança ("não como a coisa incerta");
d. agir com inteligência e objetividade ("não como batendo no ar");
e. ter domínio próprio e autocontrole ("subjugo o meu corpo e o reduzo à servidão").

Aprender a controlar sua mente, seu corpo e seu tempo é fundamental, e quem não domina primeiro a si mesmo não tem condições de dominar nada.

SEJA VIGILANTE

"Porque não há nada oculto, senão para ser revelado, e nada escondido senão para ser trazido à luz."
Marcos 4:22

Uma instrução bíblica essencial e que não passa despercebida no meio corporativo é: você está sendo observado. Tudo o que você faz, veste, diz, dá e recebe pode ser usado contra você ou a seu favor. Não falamos de aparências, mas de atitudes, daquilo que você transmite e realiza.

Sua atuação profissional não é isolada do restante da sua vida, englobando, muitas vezes, o que você é como amigo, companheiro, pai, filho, cidadão etc. Vale lembrar que as pessoas costumam se comportar de forma diferente em momentos de tranquilidade e adversidade, sendo observadas em ambas as situações.

A Bíblia afirma: "Em tudo te dá por exemplo de boas obras; na doutrina mostra incorrupção, gravidade, sinceridade, linguagem sã e irrepreensível, para que o adversário se envergonhe, não tendo nenhum mal que dizer de nós"(Tito 2:7-8). Entenda como adversário todo aquele que não o conhece profundamente, que pode ter a intenção de agir com malícia se tiver oportunidade, que espera que você não seja bem-sucedido. É melhor que você não tenha o que temer.

Nesse sentido, a melhor lição que podemos tirar do texto bíblico é para não trabalharmos apenas quando estivermos sendo observados, mas nos empenharmos sempre: "Não servindo à vista, como para agradar aos homens, mas (...) fazendo de coração a vontade de Deus" (Efésios 6:6).

Portanto, se você quer sucesso profissional, vigie seu comportamento, seja integralmente ético, correto e profissional. Aja como se estivesse sendo filmado o tempo todo. Não seja crítico nem preguiçoso. Atenda bem seu chefe, seus clientes e seus fornecedores. Seja agradável e não "respondão". O dito popular de que "o bom cabrito não berra" é ótimo. Poucas vezes vimos alguém se arrepender de ter ficado calado.

Nunca devemos fazer nada que nos tire a condição de sermos "dignos de confiança". Vamos repetir uma questão levantada na Lei da Autocontratação. Pense sobre você mesmo, seja como profissional liberal, como empregado, ou como parceiro de negócio: você cumpre sua palavra, seus prazos? Entrega o que prometeu? Ou melhor, entrega mais do que prometeu? Trata seu cliente, seu patrão, seu sócio da forma como gostaria de ser tratado? Suas respostas é que vão pavimentar seu caminho rumo ao sucesso.

Ser reconhecido pela honestidade e integridade é fundamental para que você se respeite e seja respeitado profissionalmente. Nós acreditamos que as pessoas sem princípios não vivem em paz consigo mesmas, pois lá no fundo todo mundo sabe que não deve ser desonesto.

NADA DE INTIMIDADE NO AMBIENTE DE TRABALHO

"Aquele que não pode conter o seu espírito é como uma cidade derrubada, que não tem muros."
Provérbios 25:28

Saber controlar a si mesmo é uma das maiores proteções que alguém pode se proporcionar. Quando você dá intimidade demais aos outros, cria uma verdadeira estrada para ter problemas. Existem pessoas que chegam ao trabalho e "abrem o coração": contam assuntos de sua vida privada, falam demais e ainda acham isso bonito, se autoelogiando por serem francas e sinceras. Isso é um equívoco e pode prejudicar sua carreira.

Existem espaços delimitados. Não ache que, porque uma pessoa trabalha com você, ela é sua amiga e que, por trabalhar junto, precisa saber detalhes de sua vida particular. Do mesmo modo, evite querer saber detalhes da vida dos outros. Seu ambiente de trabalho não é sua casa, nem um clube, nem um grupo de terapia. Procure não misturar as coisas.

Claro que isso não quer dizer que você deva ser frio, seco ou insensível com os colegas, e muito menos antipático. Trate todos bem, demonstre interesse, esteja disposto a ouvir, mas mantenha os muros de pé. Eles evitam as cobras.

Inteira pertinência tem o alerta de Salomão: "O tolo não deseja o entendimento, mas somente abrir seu coração" (Provérbios 18:2). Ou seja, é tolice querer se colocar como centro das atenções e falar apenas de si mesmo e de seus pensamentos. Melhor se interessar pelos pensamentos e opiniões dos outros. Assim, você será visto como simpático e agradável e terá chance de aprender com as outras pessoas, principalmente se também seguir a Lei do Farelo e escolher bem suas companhias.

Sem dar muita intimidade, esteja aberto a bons relacionamentos. Não confunda construir muros de proteção com erguer muros nas relações. Alguns muros são benéficos, pois, como diz o ditado, "uma boa cerca produz ótimos vizinhos", mas isso não é o mesmo que se isolar das pessoas. Aqui vale citar Khalil Gibran: "As pessoas são solitárias porque constroem muros em vez de pontes." Enfim, há muros bons e ruins. Escolha quais você vai construir, ou derrubar.

"A ninguém torneis mal por mal; procurai as coisas dignas perante todos os homens."
Romanos 12:17

16

A Lei do Amor

"Mestre, qual é o grande mandamento na lei? E Jesus disse-lhe: Amarás o Senhor teu Deus de todo o teu coração, e de toda a tua alma, e de todo o teu pensamento. Este é o primeiro e grande mandamento. E o segundo, semelhante a este, é: Amarás o teu próximo como a ti mesmo. Destes dois mandamentos dependem toda a lei e os profetas."

Mateus 22:36-40

Amar o próximo é um ponto de partida essencial para as relações interpessoais e sociais. Esse estado de espírito irá repercutir na forma como você trata o outro e como o valoriza. O conceito de "amor" ao próximo parece muito idealista, mas existem casos de aplicação eminentemente prática desse conceito.

Como Gandhi conseguiu vencer o exército inglês e levar a Índia à independência, sem um único tiro? Como Martin Luther King Jr. revolucionou os direitos civis nos Estados Unidos, por meio de um movimento igualmente pacífico? E como Nelson Mandela acabou com o apartheid na África do Sul? Eles aplicaram a poderosíssima Lei do Amor.

Ao implementarem o conceito de "não violência", "resistência pacífica" e "desobediência civil" (originalmente desenvolvido por Henry David Thoreau), esses líderes conseguiram resultados materiais que a maioria das pessoas considerava impossíveis de serem obtidos. Como cidadãos sem armamento nem treinamento militar conseguiram vencer forças policiais e militares, assim como a violência de seus inimigos? No entanto, munidos apenas de princípios espirituais, Gandhi, Luther King e Mandela saíram vitoriosos dessas guerras.

Com sua campanha de não violência e amor ao próximo, Martin Luther King Jr. tornou-se um dos mais importantes líderes do movimento dos direitos civis dos negros nos Estados Unidos e no mundo, sendo a pessoa mais jovem a receber o Prêmio Nobel da Paz, em 1964. Orador brilhante, King era odiado pelos racistas americanos, o que acabou culminando no seu assassinato, em 1968. Veja este impressionante trecho de um de seus discursos:

> "Aos nossos mais implacáveis adversários, diremos: 'Corresponderemos à vossa capacidade de nos fazer sofrer com a nossa capacidade de suportar o sofrimento. Iremos ao encontro da vossa força física com a nossa força do espírito. Fazei-nos o que quiserdes e continuaremos a amar-vos. O que não podemos, em boa consciência, é acatar as vossas leis injustas, pois tal como temos obrigação moral de cooperar com o bem, também temos a de não cooperar com o mal. Podeis prender-nos e amar-vos-emos ainda. Assaltais as nossas casas e ameaçais os nossos filhos, e continuaremos a amar-vos. Enviais os vossos embuçados perpetradores da violência para espancar a nossa comunidade quando chega a meia-noite, e, quase mortos, amar-vos-emos ainda. Tendes, porém, a certeza de que acabareis por ser vencidos pela nossa capacidade de sofrimento. E, quando um dia alcançarmos a vitória, ela não será só para nós; tanto apelaremos para a vossa consciência e para o vosso coração que vos conquistaremos também, e a nossa vitória será dupla vitória.'"

Fazer o bem aos que fazem o mal é algo que dá certo. Jesus pregou sobre isso para multidões, como está em Mateus 5:43-44: "Ouvistes que foi dito: Amarás o teu próximo, e odiarás o teu inimigo. Eu, porém, vos digo: Amai os vossos inimigos, e orai pelos que vos perseguem." Para muitas pessoas, essas lições parecem impossíveis de serem colocadas em prática e até mesmo assustadoras. Mas pare e pense objetivamente: alguém que não faz o mal a ninguém provocará espanto e admiração, "perderá" muitos inimigos e deixará uma marca pessoal onde quer que esteja. Ou seja, a Lei do Amor funciona.

A mesma lição é dada por Salomão no Velho Testamento e por Paulo, no Novo Testamento: "Se o teu inimigo tiver fome, dá-lhe de comer; se tiver sede, dá-lhe de beber" (respectivamente, em Provérbios 25:21 e Romanos 12:20). Quando tratamos bem quem nos faz mal, não lhe damos muita alternativa: ou essa pessoa muda de comportamento ou fica contra a parede, sem ter como nos atacar, pelo menos diante dos outros, por conta da atitude benigna e não belicosa que adotamos. A tendência é que se crie um juízo coletivo de condenação sobre o que é perverso.

A REGRA DE OURO

"Portanto, tudo o que quiserdes que os homens
vos façam, fazei-o assim também vós a eles;
porque esta é a lei e os profetas."
Mateus 7:12

Este é um dos princípios mais simples do mundo e também um dos mais eficazes: trate os outros como gostaria de ser tratado. Imagine como seria o mundo se o patrão tratasse o empregado como gostaria de ser tratado, e vice-versa? Se as empresas oferecessem aos clientes o mesmo tratamento que gostariam de receber? E se os operadores de Wall Street tratassem os investidores com a mesma lealdade com que gostariam de ser tratados se trocassem de lugar com eles? E se os servidores públicos tratassem o povo com o cuidado que gostariam de receber? E se empresas concorrentes seguissem a Regra de Ouro?

Claro que esse conceito revolucionário não se aplica apenas ao trabalho, sendo benéfico em todas as interações humanas. O que aconteceria se um cônjuge se colocasse no lugar do outro? E se pais e filhos se tratassem como gostariam de ser tratados? Será que as pessoas se ajudariam mais, seriam mais tolerantes? Será que os vizinhos respeitariam os direitos uns dos outros?

A lição que Jesus nos ensinou na Galileia foi chancelada também por Napoleon Hill, em sua pesquisa sobre pessoas de sucesso: "A Regra de Ouro significa, substancialmente, fazer aos outros apenas aquilo que desejaríamos que os outros nos fizessem, se estivessem em nossa situação."[14]

Hill dizia que esta lei era muito eficiente e que, para compreendê-la mais facilmente, devíamos nos considerar como uma espécie de magneto humano que atrai os indivíduos cujos caracteres se harmonizem com o nosso: "Encarando-nos, pois, como um magneto que atrai para nós todos os que se harmonizam com nossas características dominantes e que repele tudo o que está em desacordo com elas, não devemos esquecer também o fato de que somos nós que constituímos esse magneto e também que podemos modificar a sua natureza, para que ele corresponda a qualquer ideal que desejamos fixar e seguir. E, o que é mais importante, não esqueçamos que todo este processo de transformação ou modificação tem lugar por meio do pensamento."

Contudo, mais do que atrair pessoas, esta lei faz com que seus praticantes conquistem a confiança e a admiração dos outros. Como a carreira e os negócios são resultado direto dos relacionamentos, as pessoas consideradas mais confiáveis, agradáveis e simpáticas, cuja companhia for mais apreciada pelos outros, levarão vantagem no mercado de trabalho.

VALORIZANDO O PRÓXIMO

"Assim como o corpo é um e tem muitos membros, (...) todos os membros do corpo, embora muitos, constituem um só corpo."

1 Coríntios 12:12

Todas as pessoas, todas as funções e todos os trabalhos são dignos. Infelizmente, nem todos têm essa percepção. Não existe trabalho mais ou menos honrado. A sociedade precisa que todos façam sua parte para funcionar. É como ensina Paulo: "Mas Deus assim formou o corpo, dando muito mais honra ao que tinha falta dela, para que não haja divisão no corpo, mas que os membros tenham igual cuidado uns dos outros. De maneira que, se um membro padece, todos os membros padecem com ele; e, se um membro é honrado, todos os membros se regozijam com ele" (1 Coríntios 12:24-26).

A conclusão é que todas as partes do corpo são importantes. Ou seja, como seria se o dedão do pé, ou o pé, ou a mão, achassem que não são importantes e quisessem ser a cabeça? Como é que o corpo funcionaria? O corpo precisa da cabeça, precisa da mão, precisa dos pés. A mesma percepção pode ser aplicada a um time, repartição ou empresa. Por isso, sugerimos que você valorize todas as pessoas, não importando em que lugar da hierarquia elas se encontrem.

Na Inglaterra do século XV, o rei Ricardo III, na maior batalha de sua vida, eternizada pela genialidade de Shakespeare, bradou: "Um cavalo! Um cavalo! Meu reino por um cavalo!" Ou seja, há momentos em que pouco importa se você é rei ou não. Mais vale uma boa montaria – ou um bom cavalariço ou um ferreiro para colocar uma nova ferradura no cavalo – do que toda a riqueza e o poder.

No tabuleiro da vida cada peça tem sua importância. Qualquer que seja a função que uma pessoa exerce, ela deve ser prestigiada. E se você exerce uma função humilde, deve se orgulhar dela.

Existem aqueles que não progridem porque acham que não devem ou não podem. Discordamos: cada um de nós, seja em que posição e função estiver, pode melhorar de vida. Contudo, se alguém está feliz onde está, não precisa crescer apenas para agradar à sociedade.

A ideia é bem simples: valorize o próximo, valorize a si mesmo. Pense em todos da equipe, do time. Ame o próximo como a si mesmo.

"A medida do amor é amar sem medida."
Santo Agostinho

17

A Lei do Acordo

"Acaso andarão dois juntos,
se não estiverem de acordo?"
Amós 3:3

A Lei do Acordo envolve construir relações saudáveis e amistosas, fazer bons acertos, evitar brigas, guerras e litígios desnecessários, buscar a paz sempre que possível e respeitar a autoridade. O acordo é necessário até com os adversários, e mais ainda com parceiros, sócios, clientes internos e externos, fornecedores, funcionários e chefes – e fora do ambiente de trabalho, com companheiros, filhos, pais, amigos. Além de evitar problemas, serve para criar algo fundamental, que é a rede de relacionamentos, conhecida como network. Muitos esquecem que a colaboração – seja a nossa em relação aos outros ou vice-versa – aumenta nossas perspectivas de êxito.

Os especialistas apontam que há três fases fundamentais no desenvolvimento pessoal e profissional: a dependência, a independência e a interdependência. Na fase inicial da vida, seja de um bebê ou de um profissional em formação, uma pessoa depende plenamente dos que a cercam. Na etapa seguinte, já adolescente ou como profissional recém-formado, torna-se independente em suas tarefas fundamentais. Já sabe o que fazer na maioria das situações. Por último, uma pessoa adulta ou o profissional de alto nível certamente estará na etapa mais avançada: a interdependência. Nessa fase a pessoa sabe que precisa de muita gente e muita gente precisa dela.

Só se mantêm no topo aqueles que aprendem a cooperar com os outros e a obter a cooperação dos demais, criando uma sinergia e um ciclo virtuoso de desenvolvimento mútuo.

Neste contexto de construção de relacionamentos, é necessário saber conviver com todos os tipos de pessoas e superar as diferenças. Há indivíduos que se vangloriam de não levar "desaforo para casa", sempre prontos para o confronto e pouco dispostos a perdoar. São pessoas que têm mais dificuldades de chegar a acordos e respeitar a autoridade, o que é muito desvantajoso no trabalho e na vida.

Um fundamento muito utilizado pela legislação processual é a busca do consenso. Há uma máxima conhecida entre advogados de que "um mau acordo é melhor que uma boa briga". Os conciliadores e juízes são obrigados a buscar o acordo em muitas disputas que chegam em juízo sob pena de, se não o fizerem, ensejarem a nulidade do processo. O legislador tomou este cuidado para que se evite a delonga dos conflitos, que consomem tempo e recursos das partes e do Estado.

Do mesmo modo, a diplomacia é um mecanismo de se discutir os interesses entre Estados soberanos para que se evitem conflitos. As organizações internacionais e blocos regionais de países esforçam-se para chegar a acordos que promovam o comércio e o crescimento mútuo e evitem as guerras.

EVITAR GUERRAS

"Entra em acordo sem demora com o teu adversário, enquanto estás com ele a caminho, para que o adversário não te entregue ao juiz, o juiz, ao oficial de justiça, e sejas recolhido à prisão."
Mateus 5:25

A ideia aqui é evitar conflitos e buscar, sempre que possível, a paz. Quando Deus instruiu o povo de Israel, ainda no tempo de

Moisés, estabeleceu uma lei acerca da guerra: "Quando te aproximares de alguma cidade para pelejar contra ela, oferecer-lhe-ás a paz" (Deuteronômio 20:10). O confronto armado drena recursos e deve ser a última opção. Como vimos na Lei do Amor, Jesus Cristo foi além e ensinou a amar os inimigos.

O apóstolo Paulo também nos deixou uma bela lição: "Nada façais por contenda ou vanglória, mas por humildade; cada um considere os outros superiores a si mesmo" (Filipenses 2:3). Isso não quer dizer que iremos abrir mão da nossa autoridade ou dignidade, mas que não devemos fomentar conflitos ou agir com soberba. Quando ocupamos uma posição de superioridade hierárquica, não é necessário nem recomendável exercer nosso poder com truculência ou grosseria.

Todo mundo valoriza quem busca a solução dos conflitos e, por outro lado, vê com restrições aqueles que, em vez de fazer acordos, fomentam mais problemas.

Em seu clássico *A arte da prudência*, escrito no século XVII, Baltasar Gracián, um dos mais importantes escritores do barroco espanhol, dá muitos conselhos que são seguidos por estrategistas e políticos. Um de seus aforismos, intitulado "Em uma palavra: ser santo", louva a virtude como elo de todas as perfeições: "Três 'esses' trazem a felicidade: sábio, são e santo. A virtude é o sol do pequeno mundo chamado homem, e o hemisfério é a boa consciência. É tão bela que consegue a graça de Deus e das pessoas. (...) A capacidade e a grandeza devem ser medidas pela virtude e não pela sorte."[15]

O conselho dado por Gracián há mais de 300 anos está na Bíblia há dois milênios: "Mas, assim como é santo aquele que os chamou, sejam santos vocês também em tudo o que fizerem" (1 Pedro 1:15). Ninguém perde por ser correto e respeitado pelos demais. Portanto, ande de tal maneira que seus amigos e inimigos testemunhem acerca da sua dignidade.

Quando somos reconhecidos por nossas virtudes, há um

efeito colateral. Passamos a ser alvo dos maus e dos invejosos que tentarão desconstruir a boa imagem que formamos. Nessas horas, tenha paciência, não aceite nem retribua provocações e deixe o tempo agir. A verdade sempre vence. Se estão invejando você, isso é sinal de sucesso. Um sinal incômodo, mas, ainda assim, um sinal.

Das centenas ou milhares de pessoas com quem você tiver que lidar, pode ser que a maioria não o trate com o mesmo respeito e consideração que você demonstra ter por elas. Isso é da natureza humana. Não é incomum que se dê o bem e, em troca, se receba o mal, na forma de ofensas, maledicências, armadilhas e até ingratidão.

Veja o exemplo de Jesus. Ele foi desprezado por boa parte das pessoas com quem lidou e até das que ajudou, mas isso não impediu que cumprisse sua missão. Ele ignorou a ingratidão e seguiu em frente, alcançando êxito. É assim que nós também devemos proceder. Do grande número de pessoas que ajudarmos e com quem formos corretos, conseguiremos, pouco a pouco, construir uma legião de pessoas gratas, dignas e que estarão ao nosso lado. Isso demanda tempo e vale ouro na vida pessoal e profissional.

Portanto, faça o bem, busque os acordos e a paz. Muitos se aproximarão para tentar se aproveitar do seu bom caráter, mas outros estarão à procura de parceria com o seu nome, que será respeitado. Alguns poucos, mas fiéis, sairão em sua defesa até as últimas consequências. Não se preocupe: você não precisará de tantos amigos fiéis na hora da dificuldade. Apenas alguns serão o suficiente. Não se esqueça de que não é nos momentos de festa, mas nos de angústia, que você descobre com quem pode contar: "Em todo tempo ama o amigo, e na angústia se faz o irmão" (Provérbios 17:17). Até as horas difíceis são boas sob um aspecto, pois nelas é que vemos quem realmente é nosso amigo.

TER UMA BOA ATITUDE

"O servo do Senhor não deve brigar, mas ser amável para com todos."
2 Timóteo 2:24

Um dos segredos da arte dos relacionamentos é a discrição. Evite cansar seu interlocutor. Não deixe que as pessoas se enjoem de você ou o considerem um "chato", um "chiclete". Saia de cena antes de ser convidado a fazê-lo. Não se mostre íntimo de quem ainda não lhe deu intimidade. Salomão alerta: "Não faça visitas frequentes à casa do seu vizinho para que ele não se canse de você e passe a odiá-lo" (Provérbios 25:17).

Evite se autoelogiar e se colocar em posições de prestígio sem ser convidado. Quando tiver uma reunião com alguém importante, seja objetivo, dê seu recado e saia educadamente dizendo que não quer incomodar. Lembre-se do que dizia o lendário Comandante Rolim Amaro, criador da TAM Linhas Aéreas: "Prefiro gente que eu tenha que segurar do que gente que eu tenha que empurrar."

O palestrante e escritor Eduardo Almeida, que trabalha na área de treinamento e educação corporativa, afirma que hoje em dia não basta ter conhecimentos técnicos, é preciso ter habilidade e atitude e saber se relacionar. No Evento Educar, realizado em 2011, em São Paulo, ele chamou a atenção para o fato de que 80% das demissões são decorrentes de problemas de atitude (comportamento) e apenas 20% por falhas técnicas (conhecimento).

A pesquisa Executivos realizada em 2011 pela Catho a respeito da contratação, demissão e carreira de executivos aponta que 16,7% das dispensas se devem a problemas de relacionamento (não se relacionar bem com outras pessoas da equipe, não se relacionar bem com o chefe, não ser eficiente na supervisão), 4,8% são por demonstrar pouco dinamismo e 10,5% por faltas e atrasos constantes. A falta de competência técnica foi apontada como causa em 12,3% dos casos e o fraco desempenho (não alcançar os resultados desejados) em 24,2%.[16]

Um das características importantes tanto para liderar quanto para fazer parte de uma equipe saudável e produtiva é a capacidade de não se ofender por qualquer coisa, de perdoar e de esquecer erros e ofensas. Não se melindrar facilmente, não sentir necessidade de se vingar ou devolver palavras duras, ter espírito de solidariedade, seja com as pessoas mais fracas, seja com as de trato difícil – tudo isso é relevante.

Evite, sempre que possível, se envolver em brigas, disputas e litígios. Por incrível que pareça, ao ser atacado, a melhor defesa é não revidar. É um método simples e eficiente, mas que exige muita disciplina. "Honroso é para o homem o desviar-se de questões; mas todo insensato se entremete nelas" (Provérbios 20:3). A Bíblia diz também que "a resposta calma desvia a fúria, mas a palavra ríspida desperta a ira" (Provérbios 15:1). Ao fazer a paz e não a guerra, você se torna mais agradável, trilha um caminho mais leve e, sobretudo, não perde seu foco, que é produzir, e não brigar.

Salomão deu outras dicas importantes também ao dizer que "a sabedoria/prudência/discrição do homem lhe dá paciência e o faz ser tardio em irar-se; e é glória sua passar por cima das ofensas, bem como perdoá-las". Este trecho é resultado da leitura de Provérbios 19:11 em suas diversas traduções, de modo a alcançar melhor o sentido original do texto bíblico. Veja o comparativo:

> "A prudência do homem faz reter a sua ira, e é glória sua o passar por cima da transgressão" (ACRF);
>
> "A sabedoria do homem lhe dá paciência; sua glória é ignorar as ofensas" (NVI);
>
> "A discrição do homem fá-lo tardio em irar-se; e sua glória está em esquecer ofensas" (ARIB).

Se as pessoas atentassem para esses ensinamentos, dificilmente se envolveriam em confusão, pois, como diz o ditado, "quando um não quer, dois não brigam".

O MERCADO NÃO EXIGE AGRESSIVIDADE?

"Não maquines o mal contra o teu próximo, visto que junto a ti habita em confiança. Não contendas contra homem algum sem motivo, se ele não te houver feito o mal."
Provérbios 3:29-30

Quando sugerimos uma postura pacífica e não belicosa, sempre surge um cético para levantar esta questão: Mas o mercado não exige agressividade? Sim, exige, mas não contra pessoas ou empresas. A postura agressiva se refere à inovação, à capacidade de atrair mais clientes, expor melhor seu produto, oferecer melhores serviços, cortar custos e ser mais produtivo e eficiente.

Queremos superar a concorrência, mas isso não significa que queremos destruí-la. Acreditamos que é possível conviver no mercado, procurando ser o melhor profissional, ou a melhor empresa, mas sem fazer o mal. Cremos que o mercado é grande e está em expansão: há lugar para todos.

"Sê como o sândalo, que perfuma o machado que o fere."
Provérbio chinês

18

A Lei da Utilidade

"Quem cuida de uma figueira comerá de seu fruto,
e quem trata bem o seu senhor
receberá tratamento de honra."
Provérbios 27:18

A Bíblia considera pecado você poder ser útil e não o ser, poder fazer o bem e não o fazer. Pecado não é apenas matar, mentir, adulterar, roubar, ou seja, não é apenas fazer coisas erradas. Também é não fazer coisas certas, se omitir. A omissão do bem é uma conduta errada. Eis o que diz o texto: "Pensem nisto, pois: Quem sabe que deve fazer o bem e não o faz comete pecado" (Tiago 4:17). Ser útil é uma determinação bíblica. Você pode segui-la por motivos religiosos, para não pecar, ou simplesmente porque deseja ser um bom profissional.

Muitos acham que não têm que servir aos outros porque não precisam de ninguém. Escolhem o isolamento, por timidez ou mesmo por orgulho. Com isso, estabelecem precocemente um limite para seu desenvolvimento profissional. Jesus foi claro ao afirmar: "Se alguém quer ser o primeiro, será o último e servo de todos" (Marcos 9:35). Ser "servo" pode ser entendido como ser útil a todos.

Portanto, nenhuma empresa o contratará para atender à sua necessidade, ao que você precisa, e sim para atender às necessidades *dela*. Uma companhia tem que ser lucrativa; senão, ela quebra. Na parábola dos talentos, que analisamos no capítulo 7 sob o enfoque da Lei da Coragem, Jesus abordou também um princípio espetacular que diz respeito à confiança e à progressão na carreira profissional. O servo que deu uma lucratividade de 100% no negócio do seu patrão foi reconhecido e premiado: "Muito bem, servo bom e fiel; foste fiel no pouco, sobre o muito te colocarei; entra no gozo do teu senhor" (Mateus 25:21).

Quantos empregados aceitam ou desejam ser "fiéis no pouco"? A maioria fica à espera de uma promoção para só então mostrar como é capaz de trabalhar bem e com dedicação. Lógico que aquele que não é fiel no pouco jamais será no muito.

Como alguém pode imaginar que um chefe vai elevar um funcionário que nunca mostrou serviço a posições mais destacadas e com maiores rendimentos? Muitas pessoas deixam de progredir na carreira porque não produzem bem para a empresa e, algumas vezes, ainda lesam o patrimônio colocado sob sua administração. Os resultados irão aparecer qualquer hora e os efeitos negativos sobre esse profissional serão mera consequência.

Contudo o profissional comprometido, preparado, íntegro e que produz resultados será disputado para cargos de excelência. Em alguns casos são feitos verdadeiros leilões para ver quem consegue levar aquele "craque" para a sua empresa, oferecendo-lhe o melhor salário e benefícios.

VOCÊ SABE EM QUE É MUITO BOM?

"Eu posso não estar onde gostaria de estar, mas estou feliz por saber que estou a caminho."
Joyce Meyer

Eis uma grande dica para você descobrir onde será útil na empresa: descubra aquilo que faz muito bem e concentre-se nessa tarefa. E se ainda não é muito bom em nada, trabalhe para ser excelente em alguma coisa. Quando alguém é útil, útil, útil... chega uma hora em que se torna indispensável.

Não importa se a empresa é sua ou não, não importa se é da sua família ou de um grupo estrangeiro. Não importa se ela é boa ou não para a sua carreira ou seus objetivos. Se você está trabalhando ali, seja útil para a companhia e para todas as pessoas com as quais você lida.

Na epígrafe que abre este capítulo, Salomão diz que "quem trata bem o seu senhor receberá tratamento de honra". Isso acontece no reino dos céus, mas nem sempre no plano terreno. Um chefe, gerente ou empresa inteligentes irão cuidar bem de seus bons funcionários, mantendo-os motivados e produtivos. Mas nem todos pensam ou agem assim. Porém, Deus diz que a pessoa que fizer por merecer receberá "tratamento de honra". Pode ser que esse "tratamento de honra" venha por meio de um convite para prestar seus serviços em outro lugar. Se você se empenha e faz um bom trabalho, mas não tem obtido reconhecimento no atual emprego, cedo ou tarde poderá conseguir tratamento melhor em outra empresa.

Se você é gerente, preste atenção em quem merece "tratamento de honra" e o providencie. Se você é dono, observe a recomendação bíblica: "Quem cuida de uma figueira comerá de seu fruto." Isto significa que seus empregados devem participar dos resultados da empresa e receberem corretamente o que lhes é de direito.

Se a empresa está bem, tem que ser boa com seus funcionários (e, cremos, até com parceiros e prestadores de serviços). Não pode ser boa apenas para os donos! Agindo de maneira justa e compartilhando com os funcionários os "frutos da figueira", a empresa angaria prestígio e até lealdade, e seu resultado será mais sucesso ainda. Se a empresa está mal, isso pode ser resultado da não aplicação desse princípio. Quem sabe a situação não mudará para melhor ao adotá-lo?

GANHA-GANHA

"Ao que distribui mais se lhe acrescenta, e ao que retém mais do que é justo, é para a sua perda."
Provérbios 11:24

A Bíblia vai além do lugar-comum: quem ganha demais provavelmente está ganhando porque alguém está perdendo. Porém, o que parece perda para o outro vai, com o tempo, se transformar em perda para aquele que acha que está "se dando bem".

Se um negócio for vantajoso apenas para um dos lados, ele não irá durar muito tempo e, provavelmente, vai gerar ressentimentos, fazendo com que a pessoa que se sente prejudicada parta para outra relação que não seja espoliativa, opressiva ou desigual. Seu objetivo, portanto, deve ser estabelecer relações positivas em que todas as partes envolvidas saiam ganhando, e não apenas você.

Existem diversos tipos de relações:

Perde-perde
Ganha-perde
Perde-ganha
Ganha-ganha

A única que se sustenta no tempo e gera parcerias é a relação ganha-ganha. Por isso, aquele que ganha mais do que é razoável ou justo o faz para sua própria perda. Talvez alguém ache tolice deixar de ganhar muito se isso é possível, mas um estudo mais acurado e sensato mostra que o lucro excessivo é perigoso para as relações societárias e comerciais.

No estudo da economia existe um gráfico conhecido como "curva de Laffer", que mostra que a receita tributária só é progressiva até um determinado nível. Quando a tributação torna-se excessiva, a receita pública advinda da tributação começa a "diminuir", seja por sonegação, seja por redução das atividades econômicas que compõem a base de arrecadação.

Afirmamos que em todos os negócios a "curva de Laffer" tem alguma aplicação: quando alguém começa a abusar de sócios, parceiros, clientes, fornecedores, patrões ou empregados, o "ganho" obtido subirá até determinado ponto e depois começará a decair. E decairá para níveis inferiores aos que ocorreriam se essa pessoa agisse de forma correta e leal. A forma da perda pode ser a ruptura dos negócios, a diminuição das encomendas, a falta de companheirismo e/ou motivação, entre outras.

Não estamos falando para você ser "bonzinho", mas para ser bom; não para ser fraco, e sim íntegro. Como já falamos antes, tudo o que fizer voltará para você. Essa é uma verdade reconhecida por muitos e mesmo assim pouco aplicada. Hoje colhemos muitas coisas boas porque as estamos plantando há 20, 30 anos. Quanto mais cedo você plantar, e quanto mais plantar, mais colherá. A Lei da Semeadura, que trataremos na página 174, vai ter efeito quando você for útil ao próximo e trabalhar com a ideia do ganha-ganha.

"Você não pode ser bem-sucedido por muito tempo chutando as pessoas à sua volta."
Lee Iacocca

TRABALHO EM EQUIPE

"Um ao outro ajudou, e ao seu irmão disse: Esforça-te."
Isaías 41:6

Seja para ser útil ao time, seja pela ideia do ganha-ganha, a capacidade de trabalhar em equipe é um dos principais requisitos para o sucesso de qualquer empreendimento. Aquela imagem que muitos têm de um cientista solitário descobrindo uma vacina é algo do passado. A grande quantidade de informações e recursos, de áreas do conhecimento e suas interfaces, tende a requerer um trabalho em grupo. Da mesma forma, não se imagina hoje um médico ou advogado eficientes sem uma equipe, e menos ainda um contador ou engenheiro. Todos precisamos de ajuda e relacionamentos para produzir mais e melhor.

Hoje em dia, é preciso criar times que trabalhem de forma harmônica. Não por acidente, grandes empreendedores se associam com frequência a outras empresas ou indivíduos para realizar seus objetivos. E buscam principalmente pessoas que seguem uma mesma linha de pensamento.

A união de duas ou mais mentes gera um todo que é maior do que a soma das partes, aquilo que Napoleon Hill chamou de Master Mind – ou Mente Mestra. Sozinhos, muitos homens bem-sucedidos não teriam conseguido o sucesso que alcançaram trabalhando em conjunto. Só uma equipe é capaz de criar essa sinergia.

Jim Collins – autor do best-seller *Empresas feitas para vencer*, professor da Universidade de Stanford e um dos mais respeitados pensadores na área da administração, sendo considerado o sucessor de Peter Drucker – disse em uma palestra no HSM Management Brasil 2010 que precisamos construir equipes em que as pessoas certas estejam nas posições corretas. Para isso, deu algumas dicas. As pessoas certas:

1. se encaixam nos valores principais da empresa;
2. não precisam ser gerenciadas muito de perto (são automotivadas e responsáveis);
3. compreendem que não têm um emprego, mas responsabilidades;
4. fazem o que se comprometem a fazer (cumprem sua palavra);
5. têm maturidade diante do espelho e da janela;
6. conseguem crescer junto com seu cargo e suas responsabilidades;
7. têm enorme paixão pela empresa e pelo que fazem.

Vale a pena explicar o item 5, que trata do espelho e da janela. Um mau profissional, quando tudo dá certo, olha para o espelho e julga que o mérito do sucesso foi dele; mas quando algo sai errado, olha para a janela, procurando jogar a culpa em outra pessoa. Um bom profissional age de modo inverso: quando as coisas dão certo, ele atribui o sucesso à equipe (vai para a janela), e quando algo sai errado, se pergunta onde errou e como poderia ter evitado o problema (olha para o espelho).

"Mais cedo ou mais tarde, cada executivo precisa reconhecer que não pode fazer sozinho tudo o que precisa ser feito. Até que o reconheça, ele é apenas um indivíduo, com um poder individual, mas depois de reconhecer esse limite ele se torna, pela primeira vez, um executivo com o controle de múltiplos poderes. (...) Essa ainda é a coisa mais importante que já aprendi sobre administração – fazer homens pensar e agir com entusiasmo e iniciativa e, ainda assim, cooperar com os outros."

Alfred P. Sloan Jr., presidente da GM por 23 anos

19
A Lei do Aconselhamento

"Onde não há conselho, frustram-se os projetos; mas com a multidão de conselheiros se estabelecem."
Provérbios 15:22

A Lei do Aconselhamento determina que, antes de tomar decisões importantes, você deve ouvir conselheiros diferentes, de preferência com formação e visão de mundo diversas. Ela recomenda buscar uma segunda opinião e, se possível, até uma terceira. A decisão final será sua, mas antes de bater o martelo você irá escutar pessoas sábias ou ler bastante sobre o assunto.

Há quem se aconselhe apenas com uma pessoa, ou com um livro, ou analise as circunstâncias apenas sob um ângulo. Isso é péssimo. Os japoneses costumam dizer que, por menor que seja uma pedra, ninguém consegue ver todos os seus lados ao mesmo tempo. Gandhi falava que toda verdade tem sete lados, ninguém consegue ver todos.

Ter apenas uma pessoa como conselheiro é muito arriscado, mesmo que seja seu guru, chefe, mentor, *coach*, pastor, padre, pai, mãe ou o que for. Errar é humano, por isso é bom ter uma "multidão" de conselheiros, ainda que você leve mais em consideração esse ou aquele. Deve-se evitar ouvir apenas uma pessoa, pois corre-se o risco de elevá-la à posição de divindade, e os Dez Mandamentos alertam sobre quão perigoso é atribuir essa função a um ser humano. E se você não acredita em Deus, este é mais um motivo para não entregar este "cargo" (ou encargo) a outro ser humano.

O procedimento de buscar muitos conselheiros é recomendado também em Provérbios 24:5-6: "Mais poder tem o sábio do que o forte, e o homem de conhecimento do que o robusto. Com medidas de prudência farás a guerra; na multidão de conselheiros está a vitória." Procure aprender com quem sabe mais que você.

Ao ouvir uma pessoa, verifique cuidadosamente se ela age com boa-fé, analise seu passado e sua experiência, e procure se informar se ela tem interesses pessoais no assunto em questão. Nem sempre o seu conselheiro predileto domina bem o tema a respeito do qual você está buscando opiniões. A dialética é sempre importante para se chegar a uma conclusão sólida e bem-fundamentada. Por isso, se puder, ouça opiniões e versões diferentes.

FEEDBACK

"Assim como o ferro afia o ferro, o homem afia o seu companheiro."
Provérbios 27:17

Quando Salomão fala em "afiar", está se referindo ao ensino e ao feedback, que não deixa de ser uma forma de aconselhamento. Buscar e aproveitar o feedback é um grande diferencial de excelência, uma forma de aprimorar nossas competências.

Feedback, em comunicação, é a "informação que o emissor obtém da reação do receptor à sua mensagem, e que serve para avaliar os resultados da transmissão". Em eletricidade e eletrônica, trata-se da realimentação. No dia a dia, é a capacidade de dar e receber opiniões, críticas e sugestões sobre o que fazemos.

Para saber se estamos no caminho certo, precisamos do retorno das outras pessoas. O feedback pode orientar o lançamento de um novo produto, ajudar a auferir se o serviço da empresa está agradando aos clientes, melhorar o desempenho de chefes e funcionários e até ser o ponto de partida para mudanças importantes no casamento e nos relacionamentos de modo geral.

Segundo Raúl Candeloro, "como não se ensina a dar ou receber feedback na escola, aprendemos da pior maneira: com as cicatrizes da nossa falta de planejamento e das respostas inesperadas que a vida nos joga na cara. O interessante é que sabemos criticar, mas dar feedback é mais do que isso. Precisamos aprender a fazer isso corretamente se quisermos realmente mudar algo de forma construtiva".[17]

Nenhum líder ou empreendedor chegará muito longe se não desenvolver a capacidade de dar e receber feedback. "Uma empresa onde todos ficam amordaçados pode até ser lucrativa a curto prazo, mas com certeza será um ambiente de trabalho tóxico e terá que mudar se quiser crescer a longo prazo", acrescenta Raúl.

Em seu livro *Qual é o tamanho dos seus sonhos?*, Ebenézer Bittencourt relaciona algumas dicas importantes sobre as vantagens e habilidades envolvidas no feedback.[18]

Vantagens:

- Aumenta o compromisso dos liderados.
- Determina se a mensagem foi ouvida, entendida e aceita.
- Faz com que as pessoas se sintam valorizadas e desejosas de seguir o líder.

Habilidades envolvidas:

- Descrever comportamentos, em vez de avaliar pessoas.
- Ser específico, ao invés de generalizar.
- Focar no comportamento sobre o qual o receptor do feedback pode fazer algo a respeito.
- Falar em seu nome, não "em nome do grupo".
- Aceitar responsabilidade por seus atos, percepções e sentimentos.

- Ter certeza de que está buscando auxiliar e não punir.
- Procurar dar mais feedbacks positivos do que negativos.
- Verificar a clareza e a precisão do que foi compreendido.

Em *Princípios da liderança*, o especialista em gestão Ken Blanchard diz o seguinte: "Acredito firmemente que o feedback é a estratégia mais rentável para melhorar o desempenho e induzir satisfação. Pode ser feito em pouco tempo, não custa nada e é capaz de fazer os funcionários mudarem rapidamente."[19]

Qual foi a última vez que recebeu ou pediu um retorno sobre seu trabalho ou seu comportamento? Ou sobre os produtos que vende ou os serviços que presta? Como está indo como pai, mãe, marido, esposa, filho, filha, amigo, amiga? Por meio dessas respostas, você poderá avaliar seu desempenho e melhorá-lo.

Ao receber feedback positivo, agradeça, mas não se deixe levar pelos elogios. Quanto melhor você estiver, maior o cuidado para não se tornar vítima do sucesso e se achar tão bom que não possa errar.

Ao receber um feedback negativo, agradeça também e verifique até que ponto a crítica é procedente.

Encare o feedback como um laudo pericial capaz de fazê-lo diagnosticar problemas e resolvê-los antes que se agravem. Ele é um instrumento, uma ferramenta, um caminho para seu crescimento pessoal. E pode vir das mais diversas fontes: amigos, colegas, mercado de trabalho, inimigos ou concorrentes.

O primeiro e melhor de todos é o que obtemos de amigos sinceros, que falam a verdade para que possamos nos aperfeiçoar. Existem pessoas que são meras aduladoras e que não se dispõem a corrigir, criticar ou discordar. Não adianta ouvir a opinião delas. Um bom amigo é aquele que nos aceita e nos ama, mas que é capaz de indicar onde podemos melhorar. Salomão diz que "leais são as feridas feitas pelos amigos, mas os beijos do inimigo são enganosos" (Provérbios 27:6).

O segundo tipo de feedback é o que recebemos de pessoas que, mesmo não sendo amigas, estão dispostas a opinar. É o caso dos colegas de trabalho, por exemplo. O terceiro é obtido pelo mercado, seja pelo estudo de estatísticas, seja pela leitura de pesquisas ou questionários.

Outra fonte são os inimigos ou concorrentes. Não devemos nos pautar exclusivamente pelo que eles dizem, porém suas críticas e comentários, mesmo que maldosos, podem ser fonte de informações valiosas. É possível que seus amigos e clientes evitem falar abertamente de seus defeitos, mas seus inimigos não hesitarão em mostrar seus pontos fracos – alguns vão falar diretamente com você, mas a maioria só fará comentários com terceiros. Porém, se a crítica chegar aos seus ouvidos e for procedente, aproveite-a como o que é: uma dádiva, uma oportunidade.

É preciso coragem e humildade para perguntar às pessoas o que acham de nós e lhes dar total liberdade para nos criticar. Além disso, temos que ser maduros para não nos ofendermos com opiniões contrárias à nossa, e flexíveis, para vencermos nossa própria resistência e nos esforçarmos para mudar o que for necessário.

Também é necessária muita cautela ao aconselhar alguém ou dar feedback. Seja econômico e cuidadoso ao dar sugestões ou fazer críticas. Não fale sobre assuntos a respeito dos quais não sabe ou não tem experiência. Só dê conselhos se for realmente preciso e se a pessoa solicitar. Muita gente pede aconselhamento ou feedback, mas no fundo não deseja ouvir a verdade. Se você aconselhar uma pessoa sábia, ela ficará agradecida, mas uma pessoa insensata provavelmente ficará ofendida e irritada com você. Como diz Salomão: "Não repreendas o escarnecedor, para que não te odeie; repreende o sábio, e ele te amará" (Provérbios 9:8).

"O feedback é o café da manhã dos campeões."

Rick Tate

20

A Lei da Liderança

"Os (...) que lideram bem (...) são dignos de dupla honra."
1 Timóteo 5:17

Ninguém sobe na vida sem algum grau de liderança. Você pode até não querer liderar os outros, mas jamais terá êxito se não aprender pelo menos a ser líder de si mesmo. E se você aprender a liderar a si mesmo, algo que poucos conseguem, acabará liderando outras pessoas de uma forma muito natural. Faça isso e os outros vão se inspirar em você e segui-lo.

Dono da rede Wizard de ensino de idiomas, Carlos Wizard Martins, autor de *Desperte o milionário que há em você* e de *Motivação, liderança e sucesso*, oferece várias dicas para quem deseja ser líder, das quais selecionamos três:[20]

- Seja um criador de soluções, não de problemas.
- Foque as pessoas, não as estruturas.
- Ame fazer o que você faz.

Outra coisa que Wizard diz é: "Não tente mudar os outros. Mude a si mesmo." Esse é um grande caminho não só para a liderança, mas para o sucesso. Como ensinava Gandhi, "aquele que não é capaz de governar a si mesmo, não será capaz de governar os outros".

Liderança se conquista com confiança, e a confiança é construída sobre três pilares: caráter, competência e comunicação. Um bom líder deve seguir a Regra de Ouro, pois as pessoas seguem quem as trata bem e com respeito. No clássico *A arte da guerra*, Sun Tzu, um dos maiores estrategistas de todos os tempos, ensina o seguinte: "Considera teus soldados como filhos bem-amados, e eles de boa vontade morrerão contigo."[21] Já se atribuiu a Napoleão Bonaparte uma frase semelhante: "Trate seus homens como soldados e eles lutarão por você. Trate-os como filhos e eles morrerão por você".

A carta de Paulo aos Romanos, capítulo 12:7-21, ressalta algumas condutas essenciais tanto para o bom líder quanto para qualquer profissional. Confira seus ensinamentos:

> "Se o seu dom é servir, sirva; se é ensinar, ensine; se é dar ânimo, que assim faça; se é contribuir, que contribua generosamente; se é exercer liderança, que a exerça com zelo; se é mostrar misericórdia, que o faça com alegria.
>
> O amor deve ser sincero. Odeiem o que é mau; apeguem-se ao que é bom.
>
> Dediquem-se uns aos outros com amor fraternal. Prefiram dar honra aos outros mais do que a si próprios.
>
> Nunca lhes falte o zelo, sejam fervorosos no espírito, sirvam ao Senhor.
>
> Alegrem-se na esperança, sejam pacientes na tribulação, perseverem na oração.
>
> Compartilhem o que vocês têm com os santos em suas necessidades. Pratiquem a hospitalidade.
>
> Abençoem aqueles que os perseguem; abençoem, e não os amaldiçoem.
>
> Alegrem-se com os que se alegram; chorem com os que choram.

Tenham uma mesma atitude uns para com os outros. Não sejam orgulhosos, mas estejam dispostos a associar-se a pessoas de posição inferior. Não sejam sábios aos seus próprios olhos.

Não retribuam a ninguém mal por mal. Procurem fazer o que é correto aos olhos de todos.

Façam todo o possível para viver em paz com todos.

Amados, nunca procurem vingar-se, mas deixem com Deus a ira, pois está escrito: 'Minha é a vingança; eu retribuirei', diz o Senhor.

Pelo contrário: 'Se o seu inimigo tiver fome, dê-lhe de comer; se tiver sede, dê-lhe de beber. Fazendo isso, você amontoará brasas vivas sobre a cabeça dele.'

Não se deixem vencer pelo mal, mas vençam o mal com o bem."

AUTORIDADE

"A verdadeira grandeza, a verdadeira liderança, não é alcançada submetendo os homens ao nosso serviço, mas consagrando-nos a eles em serviço altruísta."
Oswald Sanders

Empresários, profissionais liberais e trabalhadores em geral precisam saber lidar com a autoridade para galgar os degraus do sucesso e dos bons relacionamentos profissionais. Sempre haverá pessoas acima e abaixo de nós e temos que nos conduzir com correção em ambas as situações.

Aos gerentes, chefes e superiores, recomendamos agir com profissionalismo e de forma a não serem os primeiros a se desautorizarem. É importante que os subordinados não só acatem, como também respeitem suas ordens tanto do ponto de vista da técnica quanto da confiança. Vale lembrar o rei criado por Saint-Exupéry: "Toda autoridade se baseia na razão."[22]

Já quem está na posição de funcionário ou prestador de serviço deve ter outros cuidados. Ser respeitoso e agradável. Não no sentido de adular ou puxar o saco do chefe, mas de servi-lo bem. Quando as circunstâncias são favoráveis, isso é fácil. Mas a Bíblia prevê como funciona nossa mente e emoção e orienta que, mesmo nas situações adversas, cada um faça prevalecer a fidelidade e o respeito aos outros, estejam eles com ou sem razão: "Exorta os servos a que se sujeitem a seu senhor e em tudo agradem, não contradizendo, não defraudando; antes, mostrando toda a boa lealdade (...)" (Tito 2:9-10).

Manter o respeito à hierarquia de trabalho é algo que está acima do dever regular de um trabalhador. Sujeição à autoridade é uma virtude rara em tempos de individualismo e relativismo como o que estamos vivendo. Para os cristãos, é também um compromisso vinculado à relação e à dependência com Deus.

A relação profissional permite, por sua natureza, que a pessoa peça demissão e se livre de um chefe ruim, que assim perderá um bom trabalhador. Nada pior do que patrões arrogantes, que acham que podem fazer e dizer o que bem entendem. Por outro lado, um funcionário que desrespeita seus superiores também não é bem-visto no mercado de trabalho. Por isso, quando falamos de submissão à autoridade estamos nos referindo a três coisas: (1) escolha, de modo que você possa sair do emprego ou da sociedade, se quiser; (2) responsabilidade dos empregados de respeitarem a autoridade; (3) responsabilidade dos chefes de usarem bem a autoridade de que estão investidos.

Todos nós conhecemos o chefe insuportável e autoritário, que faz exigências absurdas e nunca está satisfeito, e também o funcionário acomodado, que não aceita nenhum tipo de pressão ou cobrança e que acha tudo "exploração" ou "inadmissível". Esses são casos extremos diante dos quais devemos agir com paciência, tolerância e resiliência. Se a situação de fato não for administrável, o melhor a fazer é terminar seu serviço ou contrato e não voltar a trabalhar com essa pessoa. Contudo, níveis abusivos de pressão ou dano devem ser objeto de repulsa imediata e, se os problemas ultrapassarem o nível do razoável, procure a assistência de um advogado, mentor ou amigo mais experiente para avaliar a situação e como lidar com ela. Se preciso, use a lei: ela está aí para nos proteger.

"Liderança é influência e não posição."
John Maxwell

21

A Lei da Gratidão

"Quanto àquele que paga o bem com o mal, não se apartará o mal da sua casa."
Provérbios 17:13

Sabe qual a diferença entre um ser humano e um cachorro? Se você pegar um cachorro na rua, doente, abandonado e com fome e lhe der comida e abrigo, medicamentos e carinho, ele nunca vai morder você. Já os humanos... Essa história traduz muito bem o comportamento humano. A gratidão é uma virtude rara nos dias de hoje. Ou não existe, ou acaba logo. Poucos são os que têm a consciência de agradecer e não trair quem lhes ajudou. Jesus, ao curar dez leprosos, viu apenas um deles, ou seja, apenas dez por cento do total, voltar para agradecer. Assim é a raça humana.

Essas lições devem servir para duas coisas. Primeiro, quando alguém for ingrato com você, acalme seu coração, pois esta é a regra. Segundo, não seja você mais um ingrato a povoar o planeta Terra. Essa é a Lei da Gratidão.

Nunca seja desleal com quem estendeu a mão para você. Procure cumprir sua palavra e seus contratos e, se em algum momento isso não for possível, aja com transparência e clareza. Sente-se com quem você tem pendências a resolver e aja de modo a que tudo seja decidido da forma mais positiva possível.

Falar mal dos outros, mover ações judiciais que de antemão já se sabe que não são justas, passar segredos da empresa para a concorrência ou fazer algo para prejudicar os colegas de trabalho ou os chefes são atitudes péssimas. Além de gerarem um dano e um ônus moral, podem prejudicar sua imagem perante a sociedade e outros empregadores.

Em entrevistas de emprego, um bom método para avaliar os candidatos é deixar que eles falem à vontade sobre sua vida profissional. Muitos gerentes dispensam de imediato quem fala mal dos antigos superiores. Afinal, se ele critica abertamente o chefe anterior, por que pouparia o novo?

A gratidão deve ser renovável. Evite esquecer aqueles que ajudaram você. O comum é que, com o tempo, as pessoas esqueçam quem lhes estendeu a mão. Procure agir de maneira diferente, tornando-se um profissional fora do comum.

Quando posta em prática, a gratidão exige que se reconheça a quem a ela faz jus. Se for levada além, fará a pessoa seguir outra lei, a da generosidade.

"Tome cuidado para não explodir a ponte
que você terá que atravessar."
Winston Churchill

22

A Lei da Generosidade

"O generoso prosperará; quem dá alívio aos outros, alívio receberá."
Provérbios 11:25

A Bíblia recomenda que sejamos generosos, com alegria e desprendimento. Esse tipo de atitude se manifesta de dois modos: a pessoa não se apega ao que tem e não se incomoda com o que os outros têm. Havendo generosidade, a pessoa está disposta a doar, a dar graciosamente o que possui quando percebe que alguém está precisando.

Eike Batista, por exemplo, doou centenas de milhões de reais para vários projetos sociais no Rio de Janeiro. Suas ações incluem a recuperação ambiental da Lagoa Rodrigo de Freitas, o investimento de R$ 23 milhões na campanha para que o Rio se tornasse a cidade-sede dos Jogos Olímpicos de 2016 e o apoio às escolas de vôlei de Bernardinho nas comunidades ocupadas pelas UPPs (Unidades de Polícia Pacificadora). Caso esteja achando tudo isso esquisito, ou desconfiando de que seja feito por motivos puramente comerciais, talvez tenha algum preconceito contra a riqueza e precise rever isso, conforme falamos na Parte I.

Muitos deixam de doar porque acham que serão explorados, ou porque acreditam que quem recebe é preguiçoso, malandro ou aproveitador. Outros deixam de ajudar por egoísmo ou falta de desprendimento. Há ainda os que doam não por generosidade, mas por vaidade, para obter benefícios ou admiração no meio social, ou para provar a si mesmos que são boas pessoas.

Jesus também falou sobre a ajuda como estratégia política em uma de suas parábolas. Certo homem rico ouviu dizer que seu mordomo estava dilapidando os seus bens e, chamando-o, disse: "Que é isto que ouço de ti? Dá contas da tua mordomia, porque já não poderás ser mais meu mordomo" (Lucas 16:2). Preocupado com a possibilidade de perder a função, o mordomo teve uma ideia para tentar angariar gratidões que lhe seriam úteis no futuro e mandou chamar os devedores do seu senhor. "Quanto deves ao meu senhor?", perguntou ao primeiro. E ele respondeu: "Cem medidas de azeite." E o mordomo lhe disse: "Toma a tua obrigação, e assentando-te já, escreve cinquenta." E procedeu da mesma maneira com outros devedores.

Apesar da atitude errada do mordomo, que estava lhe dando prejuízo ao diminuir seus créditos, o homem rico percebeu e elogiou a medida inteligente: "E louvou aquele senhor o injusto mordomo por haver procedido prudentemente" (Lucas 16:8). Ou seja, o homem rico reconheceu que a "generosidade" estratégica do mordomo lhe abriria portas ao ser demitido.

Ajude quem está ao seu redor – lógico que não por motivos escusos nem muito menos com o dinheiro dos outros –, pois repartir é produtivo e sua boa ação ficará anotada na mente e no coração das pessoas.

Eu, William, já vivenciei algumas histórias em que as leis da Generosidade e da Gratidão trabalharam a meu favor. Numa delas, eu queria comprar um imóvel, mas, quando procurei o dono, a venda para outra pessoa já estava quase fechada. Dias depois, no entanto, ele entrou em contato e disse que o imóvel era meu. Quando assinamos a escritura, ele me confidenciou que tinha feito de tudo para me dar prioridade e que encerrara a negociação com o outro interessado na primeira oportunidade. E qual foi o motivo? Anos antes, a esposa dele, que trabalhava para mim em um curso, ficou doente e, apesar de não comparecer às aulas, eu lhe paguei seu salário. Isso não era necessário, pois era um cursinho em que os professores só recebiam se dessem aula. Porém eu quis pagar, pois sabia que aquele dinheiro seria útil não só para as despesas cotidianas da professora, mas também porque ela devia estar precisando comprar remédios. Quando o dono do imóvel me contou isso, anos já tinham se passado e sua esposa já havia falecido, mas minha atitude não tinha sido esquecida. E foi ela quem me garantiu a prioridade em um negócio que me interessava.

Salomão disse: "Lança o teu pão sobre as águas, porque depois de muitos dias o acharás" (Eclesiastes 11:1). Não agi movido por nenhum interesse, apenas fiz o que achava certo e tratei a professora como gostaria de ser tratado (Lei do Amor, pág. 126). Simplesmente "lancei o pão sobre as águas" e depois de muitos dias o encontrei. Multiplicado.

Você nunca conseguirá prever como será beneficiado pelo bem que faz, mas que isso vai acontecer não há qualquer dúvida.

Para exercer esse princípio, você precisará desenvolver a capacidade de não se apegar às coisas ou ao dinheiro e acreditar que, quanto mais você dá, mais as coisas voltam para você. Isso também tem relação com a Lei da Semeadura. Conhecemos dúzias e dúzias de casos em que alguém ajudou muita gente quando estava bem e, numa crise, foi socorrido por essas mesmas pessoas. Claro que existem os ingratos e fracos de memória, mas sempre haverá os que se lembrarão da sua generosidade e lhe estenderão a mão de volta.

MARKETING SOCIAL

A Bíblia recomenda solidariedade e responsabilidade social. Muitas empresas preferem negociar com fornecedores e profissionais que tenham esse tipo de conduta. A generosidade deve ser praticada por motivos altruísticos, mas há companhias que fazem o chamado "marketing social", com o objetivo de serem bem-vistas pela sociedade e se beneficiarem de sua boa imagem.

Para aquele que recebe o apoio, tanto faz o motivo íntimo de quem está ajudando. A fome ou o frio são minorados mesmo que o doador esteja apenas fazendo "média".

Em um plano mais elevado do ponto de vista humano, é claro que se espera mais das pessoas do que apenas querer posar de "bom-moço" e que se faça algo além de dar esmolas e agasalhos, embora sejam muito úteis para quem precisa deles. O ideal é que se tente "em vez de dar o peixe, ensinar a pescar".

Cremos muito em obras sociais que estejam focadas não só nas necessidades imediatas, mas em retirar as pessoas da situação de carência e miséria. Os programas de ajuda, tanto não governamentais quanto governamentais, devem se preocupar também em criar uma "porta de saída" da pobreza. Educação e qualificação profissional são boas estratégias para devolver às pessoas sua dignidade.

RESPONSABILIDADE SOCIAL

Quando falamos em responsabilidade social, não estamos nos referindo apenas a ajudar os pobres ou ser solidário com os outros. Estamos pensando também em distribuição de lucros, uso responsável do lucro, responsabilidade ambiental e respeito aos valores universais.

Apesar de ainda serem minoria, alguns empresários de sucesso estão preocupados com essas questões. Uma reportagem realizada pela revista *Exame* levantou uma discussão interessante sobre como a população e o mundo corporativo enxergam o lucro. A matéria diz que "a população brasileira, em geral, não concorda que o lucro seja a finalidade precípua de uma empresa. Questionados pelo Instituto Vox Populi sobre qual a missão de uma companhia privada, 93% dos brasileiros mencionam a geração de empregos, contrariando a opinião de 82% dos presidentes de empresas, que citam o lucro em primeiro lugar".[23] No entanto, há companhias que enxergam o lucro de maneira menos absoluta, como a Natura, que acredita que "a missão da empresa é criar valor para a sociedade".

Por tudo isso, você deve se preocupar com estes conceitos e valores universais: respeitando as leis, a saúde das pessoas, o meio ambiente, dividindo o lucro e procurando eleger algum tipo de obra social e contribuir com ela.

Sobre projetos sociais, entendemos que cabe ao Estado providenciar amparo aos necessitados, não sendo correto que aquele pretenda transferir esse encargo para terceiros. Contudo, nada impede que as empresas e pessoas comuns se interessem pelo assunto, até porque os benefícios de fazer o bem se estendem também para aqueles que o praticam.

Participação nos lucros

Hoje em dia, as companhias têm muitos sistemas de premiação, motivação e comissões, o que é positivo. A ideia é que no final de um período de apuração, seja ele mensal, semestral ou anual, as empresas distribuam parte do lucro auferido entre os funcionários. Isso não só é um fator motivador como também um modo de distribuir renda, enriquecer as pessoas e aquecer a economia.

Como já vimos na Lei da Utilidade, "quem cuida de uma figueira comerá de seu fruto, e quem trata bem o seu senhor receberá tratamento de honra" (Provérbios 27:18). Se o seu funcionário ajudou a cuidar da "figueira" e se tratou bem a empresa, nada mais justo que seja honrado e receba parte do fruto. Não só salário e direitos trabalhistas, mas algo mais, seja em forma de participação nos resultados, estímulo a estudo, folgas, viagens etc.

"Todo o dia o ímpio cobiça; mas o justo dá, e não retém."
Provérbios 21:26

23

A Lei do Contentamento

"(...) tendo o que comer e com que vestir-nos, estejamos com isso satisfeitos."
1 Timóteo 6:8

Se você consegue estar contente onde está, isso lhe dará mais paciência e serenidade para crescer, se assim desejar. Ou, se não quiser, para ficar feliz onde está com o que já tem. Apenas para dar um exemplo, há quem seja feliz sendo Defensor Público, mas, por imposição dos pais ou da sociedade, vai fazer concurso para juiz e se torna uma pessoa frustrada.

No livro *Clássicos do mundo corporativo*, Max Gehringer trata muito bem dessa questão ao contar a história de Valdemar:[24]

> "Em uma empresa em que trabalhei, havia um vendedor chamado Valdemar. O Valdemar adorava ser vendedor, tanto que, quando alguém perguntava o nome dele, respondia: 'Valdemar, com v de vendedor.'
>
> O Valdemar era tão bom que, um dia, resolvemos promovê-lo a supervisor. Chamamos o Valdemar, fizemos a comunicação e, quando esperávamos que o Valdemar fosse saltar da cadeira, abraçar todo mundo e começar a chorar de emoção, ele simplesmente respondeu:
>
> – Agradeço de coração. Mas não, obrigado.

O gerente do Valdemar ficou uma fera. Disse:

– Como assim, Valdemar? Oferecemos uma chance dessas e você recusa? Você não tem ambição?

O Valdemar respondeu:

Claro que tenho. Tenho muita. Minha ambição é ser o melhor vendedor dessa empresa."

Gehringer conta que os anos passaram e o Valdemar continuou em sua função, feliz da vida. Todos começaram a se perguntar quantos "valdemares" haveria na empresa, pessoas que estavam felizes fazendo o que faziam. Que não estavam dispostas a trocar meia hora de convívio com a família, no fim do dia, por 10% a mais de salário e um expediente mais longo. Que não faziam nenhuma questão de ser promovidas, ao contrário do que os ambiciosos gerentes e diretores imaginavam. "No fundo, quem dá sustentação às empresas são os 'valdemares'. Os diretores vêm e vão, mas os 'valdemares' ficam. Não querem mais salário, querem mais respeito. Nas empresas há dia para tudo, mas todo dia é o dia do Valdemar. Aquele colaborador tão eficiente e tão prestativo que seus superiores nem sabem o nome dele", conclui o autor.

A empresa precisa de trabalhadores assim. Interessante notar que várias vezes vimos profissionais quererem promoção, conseguirem e não se saírem bem nos novos papéis. O ideal é que cada um faça o que faz melhor. E, a nosso ver, o Valdemar, citado por Gehringer, é uma pessoa de sucesso.

De modo geral, a sociedade define o profissional bem-sucedido como alguém que tem dinheiro, fama, poder, influência e um monte de gente trabalhando para ele. Mas essa visão vem sendo questionada pelos que acreditam em conceitos mais refinados. Sucesso, por essa nova perspectiva, é estar bem consigo mesmo – e ter respeito em sua comunidade. Tudo isso, às vezes, pode ser mais importante do que fama e poder. O que você considera fundamental? Alcançar uma realização pessoal plena com base nos seus próprios princípios ou atingir o que os outros chamam de sucesso?

Para o mundo globalizado, sucesso é obter um diploma universitário, ter um carro zero importado, adquirir um apartamento próprio e conquistar a presidência de uma grande empresa. É chegar, preferencialmente, ao topo. Mas, como mencionamos, tanto para a Bíblia como para os que têm uma visão mais sábia da vida, a maior vitória é estar bem no lugar em que se está, satisfeito com o que se tem. Sucesso é o jeito como se caminha, não o destino para onde se está indo. É, sobretudo, uma trajetória na qual a pessoa, independentemente de onde esteja, continua evoluindo – e aqui não estamos falando apenas de aspectos financeiros.

Sua vida, por exemplo, pode ser sensacional hoje, segundo a sua própria avaliação. Mas não para muitas pessoas que só irão considerá-lo bem-sucedido quando você aparecer em alguma capa de revista. Nem sempre o senso comum é o que, a médio e a longo prazo, conduz aos aplausos e ao êxito. Algumas ações imediatistas são armadilhas capazes de destruir a vida financeira, familiar, profissional etc. Sobre este tema, Salomão afirmou que: "Há um caminho que ao homem parece direito, mas o fim dele conduz à morte" (Provérbios 16:25).

Qual é a régua que você usa para medir o sucesso?

Se você estiver bem, equilibrado, consciente do que quer, de onde está e para onde deseja ir, será capaz de estudar, trabalhar, cuidar da sua saúde, dos seus relacionamentos e ser uma pessoa de sucesso integral.

Por outro lado, isso não significa que você precisa querer mais e mais, sem nunca conseguir parar.

Como dizia Laurence Peter, autor do famoso Princípio de Peter – que critica a promoção de funcionários a cargos para os quais não estão preparados –, é preciso que a pessoa fique satisfeita em parar. No livro *A competência ao alcance de todos*, ele faz um alerta: "Numa sociedade baseada na escalada permanente é difícil conseguir parar e ter paz. Num mundo em que a quantidade, a riqueza e o poder têm mais valor que a qualidade e a autorrealização, a tendência é confundir escalada com satisfação."[25]

Às vezes, a felicidade e a realização estão em subir mais um pouco, ou ter um pouco mais de dinheiro aplicado, mas outras vezes a inteligência está em reduzir o próprio ritmo. Acreditamos que é preciso muito esforço e dedicação para subir na vida e se manter atualizado, mas ao mesmo tempo achamos que o crescimento deve ser algo natural, feito com bases sólidas e autossustentáveis. A partir de certo ponto, os cuidados com a família e o lazer podem ser um pouco maiores, assim como a atenção à saúde, pois com o passar dos anos ficamos mais suscetíveis a uma série de enfermidades. Crescer indefinidamente, portanto, pode não ser sábio, como vemos nesta divertida história contada por Laurence Peter:

> "Otto M. E. Caniquo, operário competente da Oficina Mecânica Faz-Tudo Ltda., vivia satisfeito com seu trabalho porque não precisava lidar com papéis e escritas. Quando quiseram promovê-lo a um cargo de gerência, sentiu-se tentado a recusar a honra. Sua mulher Winnie, membro dos mais ativos da Liga de Melhoria Social das Mulheres, insistiu para que ele aceitasse a proposta. Com o aumento do salário a receber, a família melhoraria de status social e econômico, a mulher poderia até se candidatar à presidência da Liga, e o casal compraria outro carro, roupas novíssimas e uma moto pequena para o filhinho.
>
> Otto não queria trocar seu trabalho de mecânico pelo escritório, mas deixou-se afogar na insistência da mulher e aceitou a promoção. Agora, apenas seis meses depois, acabou por ganhar uma senhora úlcera. O médico condenou-o a uma dieta daquelas, proibindo-o até de beber. Winnie acusa o pobre Otto de ter um caso amoroso com sua nova secretária, o que – segundo comentários – causou sua demissão da presidência da Liga. Ele dedica longas horas de esforço a um trabalho que o

deixa frustrado e, todas as noites, chega em casa profundamente irritado. O casamento – é claro – foi por água abaixo.

A. Boncara, outro mecânico muito competente e colega de trabalho de Otto, também foi contemplado com uma oferta de promoção. Sua mulher, Sally, porém, sabia quanto ele gostava do seu trabalho e que não queria enfrentar as responsabilidades de um novo cargo, que detestava. Resultado: continuou a trabalhar no seu emprego, deixando as úlceras para o pobre Otto. Continuou a ser um homem sorridente e muito popular no bairro, onde era considerado 'o líder da juventude'. A vizinhança compreendeu o que acontecera e, cooperando com ele, começou a levar seus carros para consertar na Oficina Faz-Tudo Ltda. Seus patrões notaram o quanto ele valia e lhe gratificaram com polpuda bonificação, um contrato vantajoso e todos os aumentos de salário que a Companhia permitia. Boncara conseguiu comprar um carro novo, roupas para a família e uma bicicleta para o filhinho. Os Boncaras levam uma vida confortável e satisfatória. O sucesso do casamento dos dois é motivo de inveja dos vizinhos e amigos, e ambos gozam de alto prestígio na comunidade; o que deu ao pobre Otto uma segunda úlcera."

A história desses dois homens pode ser muito útil para entender a Lei do Contentamento. Não se deve ficar desesperado por crescimento, menos ainda quando já se está em uma boa situação. A capacidade de se satisfazer é um antídoto para impedir que o sucesso o escravize.

"Quem amar o dinheiro jamais dele se fartará; e quem amar a abundância nunca se fartará da renda; também isto é vaidade."

Eclesiastes 5:10

24
A Lei da Empregabilidade

"Muitos proclamam a sua benignidade; mas o homem fidedigno, quem o poderá achar?"
Provérbios 20:6

Já vimos até aqui um conjunto de leis bíblicas fundamentais para você alcançar o sucesso. Quem seguir essas orientações estará cumprindo a Lei da Empregabilidade e colocando em prática um sistema de conduta em que a marca principal é o equilíbrio. Como os textos da Bíblia possuem uma ligação íntima, esta lei é, no fundo, uma revisão de atitudes e comportamentos propostos por outras leis já citadas.

O sucesso resulta de uma combinação de atributos reconhecidamente valiosos, que são unanimidade tanto entre grandes empresários quanto entre pessoas comuns. E não é mera coincidência que essas características sejam ensinadas e recomendadas fortemente pela Bíblia.

O mercado de trabalho procura quem seja:

1. Trabalhador
2. Competente
3. Honesto
4. Simpático
5. Leal/Confiável

6. Determinado/Persistente
7. Paciente
8. Humilde
9. Imbuído de espírito de equipe
10. Capaz de se adaptar às mudanças

As três primeiras qualidades listadas são indispensáveis. Para ser bom sócio, parceiro, chefe, funcionário ou prestador de serviço, é preciso possuir as três. Já mencionamos antes os três predicados que Warren Buffett considera essenciais para a contratação de alguém e que guardam relação direta com as primeiras qualidades da nossa lista: energia, inteligência e integridade.

Energia = Dedicação ao trabalho (ser trabalhador)
Inteligência = Competência, conhecimentos e habilidades (ser competente)
Integridade = Honestidade (ser honesto)

O detalhe que não pode ser esquecido é que essas três características precisam existir *ao mesmo tempo*. Não adianta um profissional:

a. ser honesto, mas preguiçoso ou incompetente;
b. ser trabalhador, mas não saber trabalhar direito ou usar sua energia e disposição para lesar a empresa;
c. ser competente, mas preguiçoso ou ladrão.

Se você reunir honestidade, competência e efetividade no trabalho, terá emprego certo e, se perdê-lo, vai conseguir outro rapidamente. Caso sua carreira não esteja no rumo que você gostaria, pense se há mudanças a fazer para colocá-la no caminho certo.

As outras sete características são muito importantes, mas, dependendo das circunstâncias, não ter alguma delas pode não ser um problema insolúvel. De acordo com a atividade que você desempenhe, uma ou outra pode ser mais ou menos relevante, mas todas ajudam na construção de um grande empresário ou profissional.

Ninguém que some as três qualidades essenciais e um bom conjunto das outras sete ficará muito tempo sem ouvir propostas de trabalho, parceria ou investimento. O sucesso vem como efeito, não como objetivo, e acontece porque o mercado admira e busca essas virtudes, não importando por que razão a pessoa as tem. Outra característica bastante apreciada é a capacidade de liderança. Quem reúne as qualidades já citadas costuma ser um líder natural.

Eu, Rubens, costumo dizer em minhas palestras que "uma empresa não contratará você por conta da sua necessidade, mas sim da necessidade dela, da empresa. Portanto, seja imprescindível". Pessoas são imprescindíveis ou por algum atributo muito especial ou por uma combinação de fatores que as tornam necessárias. Essas duas coisas podem ser conseguidas com estudo e treinamento.

De qualquer forma, o que mais conta para a empregabilidade é o conjunto. Repare que algumas pessoas não são muito bonitas, mas são consideradas atraentes, ou são bastante populares. Isso ocorre por causa de seu "conjunto". Vários diretores que nunca ganharam um Oscar já foram premiados pela Academia de Artes e Ciências Cinematográficas pelo "conjunto da obra". De um modo geral, uma única qualidade muito especial, por maior e mais espetacular que seja, não garante o sucesso: é preciso uma série de atributos secundários, ainda que a pessoa não se destaque tanto por eles.

Todos os seres humanos têm qualidades e defeitos, mas serão adorados ou detestados em razão do "conjunto", ou seja, da soma de tudo. Por isso, falamos que o mais importante é ter um conjunto positivo. Algumas pessoas focam em consertar os pontos fracos, outras em aproveitar os pontos fortes. No entanto, qualquer que seja sua estratégia, cuide do conjunto. Não é fácil, mas as recompensas são generosas e duradouras.

A LEI DA EMPREGABILIDADE E A VISÃO 360 GRAUS

A Lei da Empregabilidade recomenda que a pessoa tenha um leque de qualidades. O empresário Eike Batista menciona que todo empreendedor também deve seguir um conjunto de visões e cuidados. Segundo ele, trata-se de uma bússola, um guia nos negócios, "uma visão multidisciplinar, que proporcione clareza em relação a todos os procedimentos. Visão 360 graus é observar o entorno jurídico, político, financeiro, ambiental, social, humano, logístico, mercadológico e operacional."[26]

É preciso Visão 360 graus para empreender e Qualidades 360 graus para ser um profissional de excelência. As dez virtudes já analisadas trazem empregabilidade ao trabalhador, ao passo que a Visão 360 graus proporciona à empresa a possibilidade de êxito, a viabilidade para vencer. Veja o quadro a seguir:

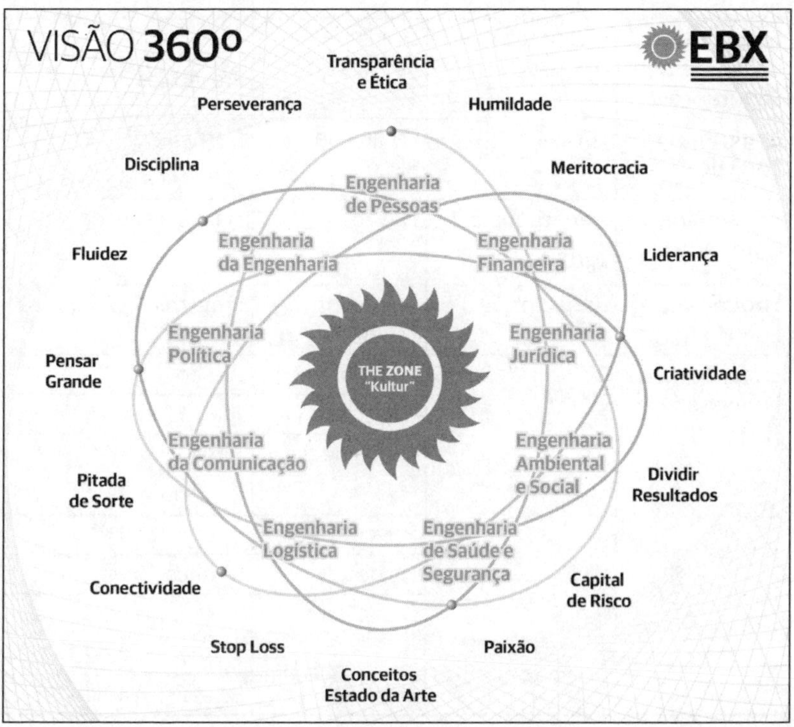

Conheça as bases bíblicas da Visão 360 graus, de Eike Batista

Engenharias		**Valores**	
Engenharia de Pessoas	Efésios 4:11-12, 1 Coríntios 12:20-21	Transparência e Ética	Josué 7:19 2 Samuel 18:13 João 7:4 Jeremias 32:10
Engenharia Financeira	Lucas 14:28-32	Humildade	Provérbios 29:23
Engenharia Jurídica	Romanos 13:3	Meritocracia	Apocalipse 3:21
Engenharia Ambiental e Social	Provérbios 12:10 Eclesiastes 3:18 Isaías 66:3 1 Samuel 25:7	Liderança	Provérbios 28:2
		Criatividade	Apocalipse 21:5a
Engenharia de Saúde e Segurança	1 Timóteo 4:16	Dividir Resultados	Atos 2:45 Provérbios 27:18
Engenharia Logística	Lucas 14:28-32 Josué 1:11	Capital de Risco	Tiago 4:13
Engenharia de Comunicação	Habacuque 2:2 Atos 8:30	Paixão	Eclesiastes 9:10
Engenharia Política	Romanos 13:1-5	Conceitos Estado da Arte	Provérbios 22:29
Engenharia da Engenharia	2 Crônicas 26:15	*Stop Loss*	2 João 1:8
		Conectividade	João 15:4
		Pitada de Sorte	Jeremias 29:14 Provérbios 18:18
		Pensar Grande	Eclesiastes 11:1
		Fluidez	Mateus 10:8b
		Disciplina	Provérbios 5:23 Provérbios 23:23
		Perseverança	Eclesiastes 10:10

A aplicação da Visão 360 graus está na origem dos negócios bem-sucedidos do Grupo EBX que alçaram Eike Batista à posição de um dos homens mais ricos do mundo. No entanto, é curioso notar que os princípios usados por Eike para criar seu modelo de sucesso podem ser encontrados na Bíblia, constatando mais uma vez a atualidade e a sabedoria desse livro milenar.

É claro que a Bíblia não usa os mesmos termos técnicos e atuais do modelo de Eike, mas conceitualmente fala das mesmas coisas. Vamos ver, por exemplo, o que encontramos em 2 João 1:8 sobre *stop loss*, conceito moderno que significa interromper as perdas: "Tomem cuidado com vocês mesmos para que não percam o trabalho que já fizemos, mas recebam a recompensa completa."

Será que a Bíblia trata de Engenharia Logística? Confira o que diz Lucas 14:28-32: "Pois qual de vós, querendo edificar uma torre, não se senta primeiro a calcular as despesas, para ver se tem com que a acabar?" Esses são apenas alguns exemplos, mas você pode analisar com cuidado as passagens bíblicas relacionadas no quadro ao lado para aprender outras importantes lições.

Tanto Eike quanto o rei Salomão tratam da sorte, que "faz cessar os pleitos, e decide entre os poderosos" (Provérbios 18:18). Isso nos faz lembrar que às vezes, quando dois adversários (atletas, times, empresas) são tão bons que suas forças se equivalem, pode ser que a sorte se torne o fiel da balança. Nessas horas, o que podemos fazer é estar o mais preparados que pudermos, dar o nosso melhor e esperar os resultados. Se vencermos, poderemos comemorar e honrar o adversário. Se perdermos, teremos resignação e nos prepararemos ainda melhor para que, da próxima vez, nossa superioridade seja decisiva, não deixando o resultado ao sabor da sorte. Ou, ao menos, que, tendo feito a nossa parte, a sorte possa sorrir para nós.

"Sem o respaldo do desempenho e do trabalho duro, as palavras não significam nada."
Michael Jordan

25

A Lei da Semeadura

"(...) tudo o que o homem semear, isso também ceifará."
"(...) o que semeia pouco, pouco também ceifará;
e o que semeia em abundância, em abundância ceifará."
Gálatas 6:7 e 2 Coríntios 9:6

Fechamos a nossa lista com a universalmente conhecida Lei da Semeadura porque ela é, assim como a Lei da Empregabilidade, uma boa forma de resumir tudo o que abordamos. A empregabilidade resume as qualidades pessoais, e a semeadura, a lógica de funcionamento do sucesso.

Todos reconhecem que, comumente, atitudes consideradas corretas trazem efeitos positivos e outras, consideradas erradas, produzem efeitos negativos. A observação da realidade comprova isso. De modo geral, trabalhar traz benefícios e furtar, problemas. E assim por diante.

O fato de as religiões recomendarem as atitudes corretas pode induzir as pessoas a pensar que esse é um tema puramente religioso. Não é. As religiões costumam falar em céu, inferno, formas de expiação de pecado e de redenção e tudo o mais, mas esse não é o nosso objetivo. Nosso foco é o sucesso e, do ponto de vista intelectual e lógico, os resultados positivos não são privilégio de quem tem fé, mas de quem segue os valores que geram o sucesso. Sob a perspectiva da vida cotidiana, um ateu que siga as leis bíblicas citadas aqui será profissionalmente muito mais respeitado do que um religioso que não as siga. As leis do sucesso não discriminam ninguém.

A Lei da Semeadura também é conhecida como Lei do Retorno por força da relação de causa e efeito: você colhe aquilo que planta. Tudo o que você faz volta para você. Todas as fontes de sabedoria humana são unânimes em dizer isso – as religiões, a filosofia, os tratados de química e de biologia, a física tradicional (lei de Newton) e até a física quântica. Não é possível que todos estejam errados. Enfim, o que você faz volta para você, como se fosse um bumerangue.

Além de voltar, tudo o que você fizer voltará multiplicado. A vida funciona como um bumerangue multiplicador. Você planta a semente de uma fruta e terá várias no futuro; você deixa espaço para um vírus e ele se transformará em milhares.

Você é livre para semear ou não, e para escolher o que semeará, mas é escravo de suas escolhas. Ao menos, até o dia em que resolver começar a plantar outros tipos de semente.

Muitas religiões colocam isso como um princípio negativo: "Não faça aos outros o que não gostaria que fizessem a você." Já é uma grande coisa, pois o que você faz ao outro vai voltar para você um dia e, se você não faz o mal, não o receberá de volta. Jesus, no entanto, levou esse princípio para o campo positivo, da assertividade e da ação, afirmando que você deve fazer aos outros aquilo que deseja que façam a você.

Não fique parado esperando as coisas acontecerem. Comece a colocar isso em prática agora! Assim, esse princípio se torna ativo, proativo, gerador de mudança. Trate bem o próximo, como gostaria de ser tratado. Se fizer isso, certamente não irá enganá-lo, furtá-lo, prejudicá-lo em algum negócio, fofocar sobre ele... Se você explora o próximo, receberá o resultado dessa conduta. Se você o ajuda, idem. Já foi dito que "amor não é o que você sente, amor é o que você faz". Faça o bem e você estará "amando" o próximo, seja ele seu parente, amigo, sócio ou consumidor. A noção de causa e efeito somada à Lei do Amor é irresistível.

A Bíblia diz que "O fiel será ricamente abençoado" (Provérbios 28:20). Se você ler esse texto de forma religiosa - e isso é perfeitamente possível -, saberá que Deus honra seus servos. Contudo, essas lições também podem ser aplicadas no plano secular.

Vamos analisar a citação de um modo bem aberto. O "fiel" pode ser fiel a Deus - assunto de interesse apenas para quem é religioso -, mas o fiel ao patrão também terá seus prêmios, assim como o fiel ao cliente, ou à qualidade de seus produtos e serviços. Os conceitos bíblicos possuem mais de uma dimensão, eles são de aplicação multifacetada. Vejamos outro exemplo: um cônjuge fiel também será objeto de recompensas, ou não? Senão por outros motivos, ao menos não terá preocupações de ser ou não flagrado, ou de ter que administrar as pressões típicas de relações clandestinas. Até os programas de milhagem das companhias aéreas premiam a fidelidade, já reparou? Se a "fidelidade" é apreciada e retribuída com prêmios nas coisas mais simples, imagine nas mais importantes!

Um único texto pode ter leituras diferentes, e todas corretas. Seja qual for a que você fizer, é certo que uma pessoa fiel (a alguém ou a alguma coisa) será ricamente recompensada. E o que isso significa? Simplesmente que a Lei da Semeadura ou do Retorno está em toda parte. Tudo o que você fizer de bom ou de ruim voltará multiplicado para você. Por isso, faça o bem. Seja sábio, trabalhador, íntegro, ame o próximo e sua vida profissional será um sucesso.

CONCLUSÃO

Muito além do sucesso terreno: uma loucura chamada Jesus

Convivemos diariamente com todo tipo de pessoas – empresários de sucesso e outros nem tanto, profissionais liberais, pedreiros, manicures, empregadas domésticas – e em todos esses níveis encontramos pessoas boas e más. Jesus, por sinal, quando veio à Terra, nasceu em um estábulo e "não tinha onde reclinar a cabeça" (Lucas 9:58; Mateus 8:20).

Consideramos válido compartilhar nossas experiências e estimular as pessoas a conhecer as poderosas leis bíblicas do sucesso, mas não podemos concluir este livro sem dizer que a proposta da Bíblia vai muito além do sucesso profissional e financeiro.

Cremos que o maior sucesso é entender os paradigmas revolucionários que Jesus trouxe ao falar do seu "Reino", que é bem diferente dos reinos terrenos. As ideias de Jesus foram consideradas loucura por muitos. Elas incomodam porque falam de uma relação e um amor que também favorecem os pobres e os limitados. É um conceito que o mundo não costuma prestigiar. Deus ama a todos, inclusive aos fracos. Não *só* a eles, mas *também* a eles.

Jesus sempre será incompreensível para quem quiser salvação por merecimento próprio, riqueza ou sabedoria. Para quem quer bastar a si mesmo, para quem acha que está bem, que é puro ou que pode chegar a esse estado sozinho, a proposta de Jesus é incômoda. Por isso ele disse que veio para os "doentes" e não para os que se consideram "sãos". Quem se acha "são" não vai querer Jesus.

Gostamos de Jesus porque ele tem uma proposta alternativa à oferecida pela sociedade e pelo mercado. Ele tem solução para todos, não só para os poderosos e vencedores. Socorre não apenas os inteligentes e talentosos, não apenas os bem-nascidos ou os *self-made men*. Jesus salva do mesmo jeito o pobre inculto e o Ph.D., o miserável e o milionário. Você não precisa ser rico como o Eike Batista, ou inteligente como Albert Einstein, nem um profeta ou asceta, não precisa ser aprovado pelos padrões da sociedade.

Jesus ama os santos e os pecadores. Ele aceita desempregados, bêbados, tolos, gente com barriga e com celulite também. E, claro, também ama os Eikes e Einsteins do mundo, não os discriminando ao reverso. Admiramos e respeitamos as elites, os ricos, os bilionários, os sábios e os doutores, mas reafirmamos nossa admiração por um Deus que salva o pobre e o fraco, o insuficiente e o que não alcançou sucesso como o mundo o define.

A Bíblia diz: "Mas Deus escolheu as coisas loucas deste mundo para confundir as sábias; e escolheu as coisas fracas deste mundo para confundir as fortes; e Deus escolheu as coisas vis deste mundo, e as desprezíveis, e as que não são, para aniquilar as que são" (1 Coríntios 1:27-28).

Enfim, a pessoa pode ser inteligente, bem-sucedida, poderosa, ter cargos e títulos... mas isso não faz dela boa o suficiente para a religação com Deus. Nem a faz mais amada por Ele. A redenção proposta por Jesus é de graça, por meio dele mesmo, e nisso Deus torna iguais todas as pessoas. Por isso mesmo, ninguém pode se vangloriar, achando que por ser melhor que o outro em questões terrenas terá algum tipo de privilégio espiritual.

Portanto, Jesus é uma loucura, um escândalo, e por ser "manso e humilde" e por propor um acesso a Deus simples e viável a todos, quebra os paradigmas do mundo secular.

Esperamos que, se você for inteligente e culto, ou alguém capaz de fazer fortuna com seus méritos e predicados, isso não o impeça de conhecer Jesus, até porque cremos que todos os sucessos e capacidades humanas não durarão mais que uns 80 a 100 anos, mas a salvação em Cristo durará por toda a eternidade. Você não precisa ser "o cara" para ser amado e salvo por Jesus, para tê-lo como amigo e companheiro de jornada nesse mundo e no porvir.

Por isso nos entregamos a ele e escolhemos ser seus servos. Não somos os melhores servos que ele tem, nem ao menos nos consideramos bons, mas certamente podemos dizer, como disse Martin Luther King Jr., que o cristianismo não fez de nós homens perfeitos, nem o que deveríamos ser, mas nos fez muito menos ruins do que seríamos sem ele.

Desejamos ter sido úteis a todos os leitores enquanto fomos passando por leis, conceitos e princípios eficientes. Que este livro possa servir para você alcançar ou aumentar seu sucesso. Terminamos, porém, falando que para bem-sucedidos ou nem tanto existe sempre um Deus amoroso que tem planos benéficos para cada ser humano.

"Estude a Bíblia para ser sábio, creia nela para ser salvo, siga os seus preceitos para ser santo."
Billy Graham

Nesta obra, foram usadas as seguintes traduções da Bíblia:

AA	Almeida Atualizada
ACF	Almeida Corrigida Fiel
ACRF	Almeida Corrigida e Revisada Fiel
ALF	Alfalit
ARA	Almeida Revista e Atualizada
ARC	Almeida Revista e Corrigida
ARIB	Almeida Revista Imprensa Bíblica
NTLH	Nova Tradução na Linguagem de Hoje
NVI	Nova Versão Internacional
SBB	Sociedade Bíblica Britânica
VC	Versão Católica

Se tiver interesse, no site www.sextante.com.br, na página do livro *As 25 leis bíblicas do sucesso*, você encontrará uma tabela com as citações e suas respectivas fontes. Esta tabela também está disponível em Facebook.com/25LeisBiblicas. Lá você também terá acesso a uma versão ampliada das bases bíblicas da Visão 360 graus de Eike Batista, que figura na página 172 deste livro.

Notas

O pecado da pressa

1. Buffett, Mary; Clark, David. *O Tao de Warren Buffett*. Rio de Janeiro: Sextante, 2007, p. 148.

O pecado da ira contra a riqueza

2. Gandhi, Mahatma (Mohandas Karamchand Gandhi). *Autobiografia: Minha vida e minhas experiências com a verdade*. 5ª ed. São Paulo: Palas Athena, 1999, pp. 90-91.

A Lei da Oportunidade

3. Hill, Napoleon. *A Lei do Triunfo*. Rio de Janeiro: José Olympio, 1997.

A Lei da Coragem

4. Maquiavel, Nicolau. *O Príncipe*. São Paulo: wmf Martins Fontes, 2010.
5. Ries, Al; Trout, Jack. *As 22 consagradas leis do marketing*. São Paulo: Makron Books (Grupo Pearson).
6. Vujicic, Nick. *Uma vida sem limites: inspiração para uma vida absurdamente boa*. São Paulo: Novo Conceito, 2011, pp. 218-219.

A Lei da Resiliência

7. Möller, Claus. *O lado humano da qualidade.* São Paulo: Thonsom Pioneira, 1999.

A Lei da Alegria

8. Silva, Elena Alves. "Passado e presente na história das mulheres". Disponível em: <http://www.metodista.br/pastoral/reflexoes-da-pastoral/passado-e-presente-na-historia-das--mulheres>.

A lei da Recarga

9. "Dormir para aprender", *Veja*, edição 2035, nº 46, de 21 de novembro de 2007.

A Lei da Honestidade

10. Buffett, Mary; Clark, David. Op. cit, p. 65.
11. Ranking 2011, ONG Transparência Internacional - http://www.transparency.org/news/feature/putting_corruption_out_of_business.
12. Batista, Eike. *O X da questão.* Rio de Janeiro: Sextante, 2011, p. 31.

A Lei do Autocontrole

13. Hill, Napoleon. Op. cit.

A Lei do Amor

14. Hill, Napoleon. Op. cit.

A Lei do Acordo

15. Gracián, Baltasar. *A arte da prudência.* Rio de Janeiro: Sextante, 2003.
16. Catho. Pesquisa sobre a Contratação, a Demissão e a Carreira dos Executivos Brasileiros. Disponível em: <http://img.catho.com.br/site/pesquisas/pdf/pesquisa-dos-executivos-2011>.

A Lei do Aconselhamento

17. Candeloro, Raúl. "Feedback". *Revista Negócios* (versão on-line), edição 69.
18. Bittencourt, Ebenézer. *Qual é o tamanho dos seus sonhos?* 4ª ed. Santa Bárbara d'Oeste, São Paulo: Noutética Publicações Ltda., 2009, pp. 48-49.
19. Blanchard, Ken. *Princípios da Liderança.* São Paulo: Garimpo Editorial, 2010, p. 13.

A Lei da Liderança

20. Martins, Carlos Wizard. *Motivação, liderança e sucesso.* Rio de Janeiro: Wizard, 2008, vol. 1.
21. Tzu, Sun. *A arte da guerra: os treze capítulos originais.* São Paulo: Jardim dos Livros, 2011, p. 101.
22. Saint-Exupéry, Antoine de. *O pequeno príncipe.* 48ª ed. Rio de Janeiro: Agir, 2009, p. 38.

A Lei da Generosidade

23. Gurovitz, Helio; Blecher, Nelson. "O estigma do lucro", *Exame*, 30 de maio de 2005.

A Lei do Contentamento

24. Gehringer, Max. *Clássicos do mundo corporativo.* São Paulo: Globo, 2008, pp.97-98.
25. Peter, Laurence J. *A competência ao alcance de todos: As receitas de Peter (como ser criativo, confiante e competente).* 4ª ed. Rio de Janeiro: José Olympio, 1994, pp. 21,24,127.

A Lei da Empregabilidade

26. Batista, Eike. *O X da questão.* Rio de Janeiro: Sextante, 2011, pp. 66-67.

Bibliografia

Batista, Eike. *O X da questão*. Rio de Janeiro: Sextante, 2011.

Bittencourt, Ebenézer. *Qual é o tamanho dos seus sonhos?* 4ª ed. Santa Bárbara d'Oeste, São Paulo: Noutética Publicações Ltda., 2009.

Blanchard, Ken. *Princípios da Liderança*, São Paulo: Garimpo Editorial, 2010, p.13.

Candeloro, Raúl. "Feedback". *Revista Negócios*, Edição 69.

Catho. "Pesquisa sobre a Contratação, a Demissão e a Carreira dos Executivos Brasileiros". Disponível em: <http://img.catho.com.br/site/pesquisas/pdf/pesquisa-dos-executivos-2011>.

De Masi, Domenico. *O ócio criativo.* Rio de Janeiro: Sextante, 2000.

Douglas, William. *Como passar em provas e concursos.* 27ª ed. Niterói: Impetus. 2012.

Gandhi, Mahatma (Mohandas Karamchand Gandhi). *Autobiografia: Minha vida e minhas experiências com a verdade.* 5ª ed. São Paulo: Palas Athena, 1999.

Gehringer, Max. *Clássicos do mundo corporativo.* São Paulo: Globo, 2008.

Gracián, Baltasar. *A arte da prudência.* Rio de Janeiro: Sextante, 2003.

Haggai, John. *Seja um líder de verdade*. Belo Horizonte: Betânia, 1990.

Hill, Napoleon. *A Lei do Triunfo*. Rio de Janeiro: José Olympio, 1997.

Hunter, James C. *O monge e o executivo*. Rio de Janeiro: Sextante, 2011.

Maquiavel, Nicolau. *O Príncipe*. São Paulo: wmf Martins Fontes, 2010.

Martins, Carlos Wizard. *Motivação, liderança e sucesso*. Rio de Janeiro: Wizard, 2008, vol. 1.

____. *Desperte o milionário que há em você*. São Paulo: Gente, 2012.

Möller, Claus. *O lado humano da qualidade*. São Paulo: Thomson Pioneira, 1999.

Neves, Adilson Romualdo. "*Branding* como ferramenta gerencial da marca nas igrejas". Disponível em: <http://www.institutojetro.com/Artigos/comunicacao_e_marketing/branding_como_ferramenta_gerencial_da_marca_nas_igrejas.html>.

Peter, Laurence J. *A competência ao alcance de todos: As receitas de Peter (como ser criativo, confiante e competente)*. 4ª ed. Rio de Janeiro: José Olympio, 1994.

Restier, Ivo Ribeiro. Palestra na Gruta de Santo Antonio, 20 de outubro de 2010.

Ries, Al; Trout, Jack. *As 22 consagradas leis do marketing*. São Paulo: Makron Books (Grupo Pearson), 1993.

Saint-Exupéry, Antoine de. *O pequeno príncipe*. 48ª ed. Rio de Janeiro: Agir, 2009.

Shinyashiki, Roberto. *O sucesso é ser feliz*. São Paulo: Gente, 1997.

Silva, Elena Alves. "Passado e presente na história das mulheres". Disponível em: <http://www.metodista.br/pastoral/reflexoes-da-pastoral/passado-e-presente-na-historia-das-mulheres>.

Tzu, Sun. *A arte da guerra: os treze capítulos originais*. São Paulo: Jardim dos Livros, 2011.

Vujicic, Nick. *Uma vida sem limites: inspiração para uma vida absurdamente boa*. São Paulo: Novo Conceito, 2011.

Bibliografia Referida

"Dormir para aprender", *Veja*, edição 2035, nº 46, de 21 de novembro de 2007.

"O estigma do lucro", *Exame*, 30 de maio de 2005.

Bibliografia Recomendada

Pai rico, pai pobre. Robert T. Kiyosaki, Campus/Elsevier. (O sucesso o transformou em uma série de livros. Leia pelo menos o primeiro livro da série.)

Os segredos da mente milionária. T. Harv Eker, Sextante, 2003.

Casais inteligentes enriquecem juntos. Gustavo Cerbasi, Gente, 2004.

A bola de neve. Alice Schroeder, Sextante, 2008.

O Tao de Warren Buffett. Mary Buffett e David Clark, Sextante, 2007.

Do monturo Deus ergue um vencedor. Jorge Videira, Betel, 2012.

Filmografia

Tropa de elite, dirigido por José Padilha, 2007.

Homem espiritual & discernimento, Ministério Joyce Meyer.

Sobre os autores

William Douglas é juiz federal/RJ, professor universitário e autor de 35 livros. Primeiro colocado em vários concursos públicos, seu maior sucesso editorial é *Como passar em provas e concursos* (Ed. Impetus), com 180 mil exemplares vendidos. Palestrante requisitado, já falou para mais de 1,2 milhão de pessoas no Brasil. Faz parte do Movimento Educafro (Educação e Cidadania de Afrodescendentes e Carentes).

Rubens Teixeira é diretor financeiro e administrativo da Transpetro, analista do Banco Central, professor, escritor e palestrante. É formado em Engenharia Civil (IME), Direito (UFRJ) e Ciências Militares (AMAN), com mestrado em Engenharia Nuclear (IME). Sua tese de doutorado em Economia (UFF) e sua monografia de Direito foram premiadas. É membro da Associação dos Diplomados da Escola Superior de Guerra.

Os autores fazem parte da Associação dos Homens de Negócios do Evangelho Pleno e dos Juristas de Cristo.

Para entrar em contato com os autores, acesse:

William Douglas
Twitter: @site_wd
Facebook: /PaginaWilliamDouglas
Youtube: /sitewilliamdouglas
Site: www.williamdouglas.com.br

Rubens Teixeira
Twitter: @rubensteixeira
Facebook: /dr.rubensteixeira
Youtube: /AmigosRubensTeixeira
Site: www.rubensteixeira.com.br

CONHEÇA OS CLÁSSICOS DA EDITORA SEXTANTE

1.000 lugares para conhecer antes de morrer, de Patricia Schultz

A História – A Bíblia contada como uma só história do começo ao fim, de The Zondervan Corporation

A última grande lição, de Mitch Albom

Desvendando os segredos da linguagem corporal e
Por que os homens fazem sexo e as mulheres fazem amor?, de Allan e Barbara Pease

Enquanto o amor não vem, de Iyanla Vanzant

Faça o que tem de ser feito, de Bob Nelson

Fora de série – Outliers, de Malcolm Gladwell

Jesus, o maior psicólogo que já existiu, de Mark W. Baker

Mantenha o seu cérebro vivo, de Laurence Katz e Manning Rubin

Mil dias em Veneza, de Marlena de Blasi

Não tenha medo de ser chefe, de Bruce Tulgan

Nunca desista de seus sonhos e *Pais brilhantes, professores fascinantes*, de Augusto Cury

O monge e o executivo, de James C. Hunter

O poder do Agora, de Eckhart Tolle

O que toda mulher inteligente deve saber, de Steven Carter e Julia Sokol

Os segredos da mente milionária, de T. Harv Eker

Por que os homens amam as mulheres poderosas?, de Sherry Argov

Salomão, o homem mais rico que já existiu, de Steven K. Scott

Transformando suor em ouro, de Bernardinho

INFORMAÇÕES SOBRE OS
PRÓXIMOS LANÇAMENTOS

Para saber mais sobre os títulos e autores da EDITORA SEXTANTE, visite o site www.sextante.com.br, curta a página facebook.com/editora.sextante e siga @sextante no Twitter. Além de informações sobre os próximos lançamentos, você terá acesso a conteúdos exclusivos e poderá participar de promoções e sorteios.

Se quiser receber informações por e-mail, basta cadastrar-se diretamente no nosso site ou enviar uma mensagem para atendimento@esextante.com.br

www.sextante.com.br

facebook.com/editora.sextante

twitter: @sextante

Editora Sextante
Rua Voluntários da Pátria, 45 / 1.404 – Botafogo
Rio de Janeiro – RJ – 22270-000 – Brasil
Telefone: (21) 2538-4100 – Fax: (21) 2286-9244
E-mail: atendimento@esextante.com.br